EN HET REGENDE BROOD

Stefan van Dierendonck

EN HET REGENDE BROOD

Roman

2012
THOMAS RAP
AMSTERDAM

Il est plus facile que l'on croit de se haïr.
La grâce est de s'oublier.

Georges Bernanos, *Journal d'un curé de campagne*

* * *

Oh Adam please you must believe
that snake put it in front of me

PJ Harvey

Voor Clemens

Openingswoord

Onmiddellijk na de lauden riep de abt me bij zich, keek me aan vanachter zijn massief eiken bureautafel, de handen op een dichtgetapete doos. Hij kwam er net bovenuit. Naar mij toegekeerd stond met grote zwarte halen de adressering: *Pater Johannes Beckers, Abdij Sint-Benedictusberg, Vaals, Paesi Bassi.* Een slang schoot eruit, dook mijn borstkas binnen en slingerde zich rond mijn hart. Ademen ging ineens zwaar; mijn blik vluchtte weg voor de ogen van de abt, naar alle hoeken van de kloostercel. Ik wist dat hij mijn emoties registreerde en evalueerde, maar ik kon het niet helpen. Ik had het handschrift herkend.

'Waarde broeder, enige tijd geleden is dit pakket met de post gekomen. Zoals je ziet is het aan jou gericht.'

Ik knikte. De abt ging verder.

'Je weet dat het volgens onze regel niet is toegestaan om zonder toestemming van de abt brieven, gewijde voorwerpen of anderszins kleine geschenken aan te nemen. Je weet ook dat ik verantwoordelijkheid draag voor het geestelijk welzijn van allen die aan mijn zorg zijn toevertrouwd. Het is mijn opdracht om de broeders te sterken in hun roeping, in hun toewijding aan God en aan Zijn Kerk, in hun liefde voor het Hogere.'

Opnieuw een pauze, waarin hij wachtte op mijn instemming. 'Het is geen eenvoudige opdracht, kerkelijk leiderschap. Christus spreekt nog over een enkel verloren schaap waar de herder naar op zoek gaat. Onze schapen hebben meer van rabiate wolven, zijn minder geïnteresseerd in eeuwig geluk of in devotie dan in een snelle bevrediging van lichamelijke behoeften. Je begrijpt wat ik bedoel; tenslotte heb je het grootste deel van je leven in de wereld gewerkt. Ik heb daar altijd respect voor gehad, dat weet je. Na zo veel jaren in de felle zon komt de rust van het klooster je toe.'

'Dank u,' bracht ik uit.

'De overgang naar het geregelde kloosterleven was niet eenvoudig voor je. Hoe bevalt het werken in de tuinen?'

Ik keek naar mijn veranderde handen, het verse eelt, de kloven waar de aarde diep in was doorgedrongen, mijn rouwnagels.

'De rozen lijken zich te herstellen,' zei ik. De doos was van karton, de zilveren tape zorgvuldig aangedrukt; op een hoek zag ik een grillige kring van opgedroogd water.

'Weerbarstige planten zijn dat toch. Snoeien moet je leren, dat blijkt maar weer. Ik hoop dat ze in de toekomst weer het hoofdaltaar kunnen sieren.'

Ik zweeg.

'Goed. Dit pakket is verzonden door Clemens Driessen, en blijkbaar enkele maanden zoekgeraakt in de post. Het is een wonder dat het nog is opgedoken.' Even leek hij te grinniken; toen hernam hij zich. 'Natuurlijk staat Clemens' geval me nog helder voor ogen. Ik herinner me onze gesprekken over zijn coeliakie, over zijn onvermogen om die een plaats te geven in zijn priesterschap. Ik weet hoe aangeslagen je was door zijn ontijdige einde. Onze hele gemeenschap heeft voor jou en voor je leerling gebeden; we hebben je ondersteund in de verwerking van je verdriet. Vergeet dat niet nu ik je deze doos ga

10

overhandigen. Jij hebt er recht op om de laatste boodschap van Clemens in te zien. Ik heb het in gebed voor de Heer gebracht en het besproken in de raad van monniken. We zijn er zeker van dat Hij het zo wil. Moge je antwoorden vinden en vrede.'

Hij tilde zijn handen van de doos. De flappen veerden omhoog. De tape bleek doorgesneden; de abt had alles ingezien en beoordeeld, natuurlijk. Tenslotte is hij als vader door de gemeenschap gekozen, door God in die taak bevestigd, een goede herder voor zijn kudde. Ik begreep het maar al te goed. Niettemin bleef de oude slang mijn hart knellen, mijn longen pletten, mijn maag knijpen; mijn lijf was te klein voor mijn organen en het beest.

'Dank u,' zei ik, met mijn blik op de kiezels in de betonnen vloer, en ik nam het karton en liep naar de deur.

'Graag had ik de doos bij de vespers terug,' sprak de abt achter me.

Ik liep door naar mijn vrijwillige privécel, mijn kamer in een anoniem gebouw. Nooit had ik die als mijn bezit beschouwd, zoals de regel voorschrijft; nu was hij veranderd in mijn domein. Ik sloot de deur achter me, draaide de sleutel om. Ook voor het eerst.

De verhuisdoos plaatste ik op mijn werktafel. Ik ging zitten, langzaam. Bekeek de adressering letter voor letter, bevoelde de tape langs de randen, draaide de doos om en om, zuchtte, boog de flappen open, klapte ze terug, zuchtte nog eens. Ik stond op, keek erop neer. Een doodnormaal object: vierkant, lichtbruin; het kader waar mensen EETKAMER of ZOLDER in schrijven was leeg gebleven. Clemens wilde niet verhuizen, geen nieuwe start maken. Hij had geen afzender genoteerd. Geen gedachte aan eventuele onbestelbaarheid, geen vangnet.

Binnenin vond ik een zevental dagboeken (A5-formaat, harde kaft), cd's met muziek, een stapeltje brieven, een enkel boek, minitapes voor een dictafoon met de labels 'Jeugdherinneringen 1', 'Jeugdherinneringen 2', en 'Overige herinneringen'. Batterijen. Niets was zomaar in de doos beland – een selectie die ik onmogelijk kon doornemen in de korte tijd die de abt me had gegeven. Kalm maakte ik de doos leeg, stapelde mijn bed vol, liet alle voorwerpen door mijn handen gaan. Hoe onnavolgbaar Clemens' levenskeuzen ook zijn geweest, ineens zag ik zijn geest in mijn handen, beter toegankelijk dan ooit. Dit had de abt wel goed begrepen: het was een louterend moment, als het opmaken van de laatste rekeningen van het jaar om met een schone lei en een zuiver geweten de toekomst in te gaan. Clemens' reïncarnatie diende zich aan. De lege doos bracht ik naar de abt; ik plaatste hem voor zijn deur, ging terug naar mijn cel en was er niet meer alleen.

In een koortsachtige spanning begon ik te lezen en te bladeren, betastte alle voorwerpen die Clemens zelf in handen had genomen. Het voelde alsof ik een schat aan relikwieën had ontvangen, heilzamer dan de voet van Petrus in de Sint-Pieter, of de rots van Calvarië. Ineens begreep ik dit soort devotie ook beter. Ik inventariseerde het materiaal en nam het door, niet koud als een wetenschapper, maar betrokken, geëngageerd, omdat alleen zo de waarheid boven tafel komt – de menselijke waarheid. Er waren bladzijden die ik las en herlas, urenlang verloren in dezelfde woorden, omdat ik niets leek te onthouden, niets begreep, niets kon opslaan. Ik huilde. Ik vergat mijn monastieke verplichtingen, negeerde de aankondigingen van de getijden, mijn taken in de tuinen van het klooster, de maaltijden. Het triviale verdween naar de achtergrond.

Oude inzichten kregen hun bevestiging, begraven vragen werden met nieuw vlees en nieuwe huid bedekt als de beenderen van Ezechiël. Antwoorden dienden zich aan, maar ze verdwenen weer op het moment dat ik stopte met zoeken, met lezen, kijken en luisteren. Tegelijk groeide een inzicht, dat alleen maar sterker werd: deze rijkdom aan ervaringen en geschiedenissen mocht ik niet voor mezelf houden; het verhaal van deze jonge priester moest verteld. Het hele verhaal, niet de karikatuur die de media ervan gemaakt hebben: 'Eigen schuld', of nog erger: 'Slachtoffer van de Kerk.' Clemens' wandeling over het water is niet in wanhoop verzonken en zijn dood was niet zonder betekenis. Noem het mijn hernieuwde geloof in de realiteit van Clemens' verrijzenis.

De man was meer dan een dwaas.

Harde data

Ter wereld kwam Clemens in 1972, in een tweepersoonsledikant op de eerste verdieping van een rijtjeshuis in Budel. Het was begin augustus. Dertig jaar later klonk zijn stem in mijn oren, werkte zich door dunne draadjes uit een snorrend apparaat naar mijn hoofd om het verhaal van zijn geboorte te reconstrueren.

'Zo is het gegaan, als ik tenminste mijn moeder mag geloven,' fluisterde hij, zijn toch al kalme stem nog milder door de Brabantse tongval. 'Ze wilde me niet laten gaan, maar hield me urenlang, dagenlang, angstwekkend lang vast. Veel langer dan was uitgerekend. De vroedvrouw probeerde haar te kalmeren, maar zelfs de wonderolie haalde niets uit. Nog zo'n zinloze zalving!'

Ik hoorde weer zijn korte lach, een aangenaam geluid. Zo kende ik hem van de priesteropleiding: serieus en bescheiden, tot er ineens een geamuseerde twinkeling in zijn blauwe ogen verscheen. Je moest wel opletten, of je miste de clou.

'Veel te lang veranderde er niets, en dat was te weinig. Toen mijn vader eindelijk besloot dat het genoeg was, belde hij de huisarts; tien minuten daarna stond dokter Sluys voor de deur, een energieke kerel, in mijn herinnering, ook al was hij niet jong meer. Hij was sinds een jaar terug van een post in Afrika, waar hij in zijn eentje een heel ziekenhuis had gerund. Hij had er pigmentvlekken gekregen die in zijn vaderland behandeld moesten worden, grillige eilanden in een zongebruinde hoofdhuid. Ook zijn handen waren aangetast. Mijn moeder had nooit durven vragen of het besmettelijk was.'

Wat er volgde op de komst van de geneesheer was voorspelbaar: direct brak de weerstand van de jonge vrouw alsof ze al die tijd op de professional had gewacht. Ze liet het leven eindelijk los en dreef haar zoon uit.

'Daarmee was het avontuur nog niet voorbij, want ik werd geboren met een navelstreng die drie keer om mijn nek was gewikkeld. Te actief in de buik, te veel draaien en keren. De levenslijn werd mijn strop.'

Als dood kwam hij ter wereld; hij ademde en bewoog niet, had meer van een misgeboorte dan van een kind. Met hem hield iedereen zijn adem in, terwijl de arts hem overnam en begon uit te pakken als een cadeautje. Hij wroette met zijn blote vingers in het mondje, duwde op zijn borst, sloeg op de billen en ademde voorzichtig in zijn longen. Tot het werkte. Kokhalzend en haperend sloeg Clemens aan en begon te huilen, eerst dun als scheurend papier, maar met elke haal krachtiger. Toen hij ten slotte een verrassend grote hoeveelheid donkergroen meconium liet lopen, was dokter Sluys tevreden.

'Dat was het signaal waarop hij had gewacht,' lachte Clemens in mijn oren, 'mijn neonatalenpoep. Een lichaam dat zich ontlast heeft de toekomst, blijkbaar.'

Voor de harde data van zijn fysieke ontwikkeling kan ik putten uit een lichtblauw boek dat ik onder in de doos aantrof, met de titel *Onze baby*, geïllustreerd door Dolly Rudeman. De tekenares had een voorkeur voor blonde baby's met ronde ogen in luiers met grote spelden, tekende bloemen in elke hoek. Op een pagina met de titel 'Wie kwam mij begroeten?' schilderde Dolly een jongetje op een levensgrote envelop. Andere bladzijdes waren: 'Wie belde mij op?' (een klassieke telefoonhoorn met een lint eraan), 'Wie stuurde mij gelukwensen?' (alweer die envelop). Elk vel was gevuld met identieke lijsten van familieleden en vrienden, zowel van vaders- als van moederszijde. Aan gelukwensen geen gebrek.

Op de eerste bladzijde plakte ze een reepje papier, dat uit een regionale krant was geknipt, waarschijnlijk de *Grenskoerier*:

> *4 aug Clemens Maria, zv Johannes H.M. Driessen, gemeenteambtenaar, en Christina H.N. Martens, zb, Notaris van Kemenadestraat 31.*

Hij begon als een gemiddelde jongen. Geboren met een lengte van 51,5 centimeter en een gewicht van 7 pond ontwikkelde hij zich in een jaar tijd tot een lengte van 73 centimeter en 16 pond. Dokter Sluys was tevreden, al constateerde hij dat de groei na een jaar wat achterbleef. Zijn verklaring was poëtisch: 'De jongen verbrandt wat hij binnenkrijgt. Maar het is een aardigheid om te zien hoe beweeglijk hij is, hoe goed zijn motoriek al is ontwikkeld. Je hebt een kwikzilverbaby.' Dat beviel moeder wel, kwikzilver; ze onderstreepte het woord zelfs. Clemens was vloeibaar bij kamertemperatuur. Er stroomde edelmetaal door zijn aderen.

De vrolijke inborst van de jonge Clemens stuitert van de vele vierkante kiekjes in het boek. Hij lacht met grote open mond naar de camera terwijl hij met pa in de luie draaistoel zit. Hij lacht terwijl hij bloot op de commode ligt na een bad en buigt zijn hoofd zo ver achterover dat je zijn huig kunt zien. Hij sabbelt aan een pijp (commentaar: 'Pijproken vindt Clemens leuk'). Hij strekt beide handen uit naar zijn moeder, die op de bank ligt. Hij staat wankel op de tank van een gele motorfiets, met zijn handen op het plexiglas van de kuip, terwijl zijn vader hem in balans houdt.

Als Christine schrijft: 'Wat was zijn moeder trots op hem. Ze vond haar baby de mooiste en liefste van alle kinderen op het consultatiebureau', dan geloof je haar direct.

Ook in zijn witte doopjurk – moeder moet het hoofdje nog ondersteunen – is een tevreden, bijna serene baby te zien. Hij huilde niet toen de kapelaan een beetje zout in zijn mond deed, gaf geen kik toen hij hem zalfde met geurige olie op de kruin, uitte geen klacht bij de drie keer dat het koude doopwater over zijn hoofd spoelde. De hele verzamelde familie, oma Driessen voorop, had er verbaasd van gestaan.

'Dat belooft veel goeds,' zou ze gezegd hebben.

Dat ook Christine ervan overtuigd was dat Clemens onder een goed gesternte was geboren, blijkt uit de pagina met de instructie: 'Deze bladzijde te gebruiken voor bijzonderheden betreffende voeding en eventuele kinderziekten.' Deze bleef maagdelijk leeg.

Zo gaat het vaker in de geschiedschrijving: iemand zet zich aan het werk, neemt zich voor een betrouwbaar verslag te schrijven en begint te noteren vanaf het begin. Maar na twee zinnen verandert het fotografische geheugen in een donkere kamer, wordt zorgvuldige beschrijving een min of meer bewuste selectie, een constructie met kop en staart. Er is ook zo veel moois te noteren, zeker voor een moeder. Geen wonder dat ze de introductie van het broodhapje wegliet, toen Clemens zes maanden oud was, een vroeg omen van zijn overgevoeligheid.

'Tot een halfjaar was ik een blakende baby, snelgroeiend als de jonge maïs op de velden rond het dorp,' sprak Clemens zonder de stilte van mijn kloostercel te verstoren. Ik lag te luisteren op mijn brits, boven op de grijze, stugge dekens, mijn handen gevouwen over mijn habijt. Zo zou mijn sterfbed er waarschijnlijk ook uitzien. Een monnik leeft met de dood voor ogen. Het geluid had ik zo hard mogelijk gezet, om niets te missen. 'Ineens verschenen er puistjes op mijn wangen; witte bulten veranderden in rode kraters, te groot voor mijn babyhoofd. Ook het enige voedsel dat niet bereid hoeft te worden, de moedermelk, verdroeg ik niet meer. Achteraf was dit natuurlijk het teken aan de wand, maar mijn ouders dachten dat het normaal was, een fase. Wat wisten zij ervan? Ik was hun eerste kind, ze hadden geen vergelijking. Wel weet ik dat mijn vader ook zoiets had gehad, maar toen noemden de artsen het een darmverkleving, iets waarvoor hij zelfs nog in het ziekenhuis had gelegen. Bij mij was het niet zo dramatisch, hoor. De huisarts gaf wat tips over voeding: geen volkorenbrood, geen sinaasappelsap of steenvruchten. Na een paar maanden trok mijn huid weer putloos strak, slonk de opgezette buik en bleef het voedsel binnen. Ik begon weer te groeien en te lachen, al had ik wat meer slaap nodig dan voorheen. Ik kon omvallen als een boom in het bos. Dat kan ik nog steeds.'

Wat Christine wel opnam in het babyboek waren twee van Clemens' haarlokken: een goudblonde van vlak na de geboorte en een donkerbruine van een jaar later. Ze tekende de omtrek van zijn rechterhand met een wijsvinger van drie centimeter lang. Ze noemt hem een 'bijdehandje' en 'heel leergierig' omdat hij op dezelfde dag leerde kruipen, op zijn knieën ging zitten en ging staan. Hij was toen achtenhalve maand oud. Ze beschreef onhandig hoe Clemens tweemaal uit bed was gevallen toen hij elf maanden oud was. De eerste keer had ze Clemens aangetroffen tegen de buitenkant van de wieg, het rode hoofd naar beneden en de benen omhoog. Het trappellaken had hem in de vlucht gevangen. De tweede keer viel hij naast de kussens die ze uit voorzorg onder het bedje had neergelegd. 'Het was een drama. Clemens was zo vreselijk bang geworden dat hij 's avonds niet meer in zijn bedje durfde. We hebben hem toen maar bij ons in de kamer in zijn campingbedje gelegd. Het duurde een tijdje voordat hij eroverheen was.'

Niet lang daarna ontdekten Clemens' ouders dat er een tweede kind onderweg was. Vooral zijn moeder was er blij mee, en sprak over haar hoop op een dochter om de geslachtelijke balans in huis te herstellen. De probleemloze geboorte van Angelica Adriana Maria, roepnaam Angelena, een maand na de tweede verjaardag van Clemens, deed precies dat. Van elke soort één. 'Mijn koninginnetje' noemde Christine haar. Niemand kon haar beter troosten of beschermen dan zij.

Toen hij drieënhalf jaar oud was schreef ze in het boek: 'Clemens kwebbelt de hele dag door honderduit. Geen moment staat dat mondje stil, overal bemoeit hij zich mee en hij meent het nu al vaak beter te weten dan papa en mama, en dan is hij wel eigenwijs. Tegenwoordig is hij vol van wolven, indianen en cowboys (hij loopt vaak als cowboy door het huis) en het verhaal van Roodkapje kent hij helemaal (met een beetje hulp). Zingen kan hij ook (heel vals, geen gehoor).'

Op de laatste pagina van het babyboek heeft ze nog eenmaal een verjaardag vastgelegd: Clemens' vierde. Hij zit tussen het bezoek aan een lage tafel, heeft een felgroen T-shirt aan met een stripverhaal erop, het lange geweer van een cowboy in zijn hand. Hij mikt lachend op een tulband vol poedersuiker en wat gedoofde kaarsjes, alsof hij ze met zijn luchtkogels heeft uitgeschoten. Zijn zusje kijkt op de achtergrond toe met een pruillip als een krent, een arm om het been van haar moeder. Zijn vader schiet vast het plaatje.

Ernaast de laatste foto: twee jongens in badstof pyjamabroek, het feest was al vroeg begonnen. Ze houden elk een paarse ballon in de hand, dragen een papieren kroon vol met serpentine op het hoofd en ze lachen naar de camera. Het commentaar in het ronde handschrift van Christine luidt: 'Clemens' eerste vriendje: Vincent!'

Misschien zoek ik er te veel achter, gevormd door mijn lange jaren van allegorische en typologische exegese van de Schrift, maar deze laatste zin lijkt me haar definitieve duiding van het einde van Clemens' vroege jeugd. Hij heeft zijn babytijd overleefd, is met de dag sterker geworden en doorgegroeid. Ten slotte brak hij de kleine cirkel van het gezin open door vriendschap te sluiten. Hoe jong ook, Clemens had alles om het te maken in de wereld: energie en verbeeldingskracht, een sociaal hart. Haar taak was volbracht.

Zo rooskleurig zou zijn levensverhaal niet blijven.

De kijkdoos

Waar ging het mis? De eerste barst, bedoel ik, in de laklaag op het houten kozijn, de haarscheur waardoor vocht kon binnendringen om het rottingsproces in gang te zetten, onzichtbaar nog voor de wereld. 'Waar viel de eerste dominosteen?' formuleerde Clemens deze vraag in zijn laatste dagboek. 'Op welk moment heb ik niet genoeg opgelet, mijn hart geopend voor de eerste leugen?' Ook hij speurde naar de fluistering van de tegenstander in zijn oor, naar dat ene onherroepelijke moment van toegeeflijkheid en zwakte. Hij vond zijn eerste bewuste eucharistieviering, een week voor de eerste communie.

Clemens bevond zich in de Goede Herder, in het midden van de rechthoekige zaal, op de derde rij, zijn vader aan zijn rechterhand. Het felle zonlicht van de namiddag drong door het matglas dat de hele lengte van de ruimte besloeg; het streek over de witte, gele en zwarte lijnen van evenzovele speelvelden. Voor dit vrome avondspel hingen de vuistdikke touwen niet uit, waren de korven niet opgesteld, was er geen rood-witte goal te zien. Die bevonden zich achter een dubbele deur, die nu gesloten was. De touwen hingen in een bundel in de hoek en de houten klimrekken waren met een zware sleutel opgedraaid tegen de achtermuur van gele baksteen. Clemens had zelf meegeholpen na de gymles.

De multifunctionele zaal stond vol met koude stoelen, op dunne poten van metaal, aan elkaar gehaakt in rijen van acht of twaalf. De zitting voelde glad als glas, maar zag eruit als hout. Er was geen glas-in-lood. Er waren geen knielbanken van eikenhout. Er was niets te zien behalve een viertal zwarte panelen. Een misdienaar kwam door een zijdeur de zaal binnen, haakte ze los en schoof ze plechtig opzij.

'Daar komt het priesterkoor,' had zijn vader gefluisterd. Clemens zag een hoge tafel van lichtbruin hout op een enkel voetstuk, bedekt met lange witte kleden. Er stonden zes grote kandelaars omheen, waarvan de misdienaar er twee aanmaakte met een bolletje wasdraad. Op de tafel stond een kruisbeeld, met het lichaam naar de zaal gericht. De misdienaar liep naar het midden van het altaar, boog zijn hoofd en verdween van het toneel.

Op de achtergrond schitterde een brandkast. Hij droeg een gouden kroon. Vlakbij flikkerde een vlammetje in een kandelaar die aan het plafond hing. Aan de rechterkant stond een tafel met een marmeren blad. Achterin hingen roodfluwelen gordijnen met groene planten ervoor – geen bloemen. Er was er een met bladeren zo groot als een fietswiel. Links hing een kleine bronzen klok met een gevlochten touw eraan; een dikke vrouw liep er haastig heen en trok er hard aan, toen was ze verdwenen.

Dat was Mientje, de huishoudster van de pastoor, volgens zijn vader, terwijl hij Clemens liet opstaan voor het begin van de dienst. Toen iedereen stond, kwam de pastoor zelf binnen. Clemens herkende hem van school, al droeg hij nu een roomwit kleed met een platte groene sjaal erover, bijna tot op de grond. De twee jongens die voor hem uit liepen droegen ook zo'n lang kleed, maar met een touw om hun middel. Dat zag er stoer uit, alsof ze lid waren van een geheime, maar machtige indianenstam. Plechtig liepen ze naar het midden van de zaal, hielden stil voor het podium en raakten met hun rechterknie de grond aan, heel even maar. Ze wisten precies wat er moest gebeuren.

De jongens gingen naar hun stoelen, terwijl de pastoor naar de altaartafel liep en er een kus op drukte. Clemens trok zijn vader aan de mouw: 'Wat doet hij nou?' Die legde een vinger op zijn lippen. Terwijl de pastoor in de microfoon begon te praten, boog zijn vader het hoofd met de rest van de kerk. Clemens boog mee, maar niet te ver; hij bleef kijken naar de gebaren van de pastoor. Het kruisteken. Later zag hij de armen omhooggaan, zodat het kleed veranderde in een paar enorme vleugels. Op een enkel woord liet hij alle mensen opstaan, of met zacht geruis weer zitten. Clemens voegde zich, zonder er veel van te begrijpen. De tijd vloog voorbij.

Toen ontstond er onrust in de kerk, tegen het einde van de dienst. Er maakten zich mensen los uit de groep. Ze schoven heen en weer op hun stoel; op de eerste rij kwam iemand overeind, op de tweede ook al – het golfde door de zaal. Iedereen stond op en liep naar voren, vormde een rij. Ook Clemens kwam in beweging toen zijn vader ging staan, maar die drukte hem met een stevige hand op de stoel.

'Ik ben zo terug. Nog even wachten.'

Zijn vader sloot aan en schuifelde naar de pastoor, een paar passen maar. Een vrouw voor hem opende haar mond en stak haar tong uit; de priester legde er iets op. Ze boog haar hoofd, stapte opzij en sloeg een kruis. Vader wachtte even, deed een stap naar voren en opende zijn handen. De vlakke hand werd een tafeltje, zijn vader een bedelaar. De pastoor hield een witte schijf omhoog, zo groot als een rijksdaalder.

'Het Lichaam van Christus.'

'Amen.'

De priester plaatste het op de handpalm van zijn vader. Met een traag gebaar bracht die het brood naar zijn lippen en nam het in zijn mond. Clemens zag hem haast onmerkbaar buigen en teruglopen naar zijn plaats. Iedereen liep langzamer dan normaal.

Nog voordat zijn vader zat, trok Clemens hem aan zijn elleboog en vroeg: 'Laat zien, laat zien.' Zijn vader keek om zich heen alsof hij betrapt zou worden, boog zich toen naar zijn zoon, opende zijn mond en stak zijn tong een stukje uit. Meteen daarop hernam hij zijn gebedshouding en sloot de ogen. Clemens bleef naar zijn mond kijken – de dunne bovenlip, de baard zonder snor – en wachtte tot zijn vader slikte.

'Dat was het dan. De hostie. Zo komt Jezus in je hartje.'

Clemens knikte, raakte zijn borst aan en zei: 'Maar hoe lang blijft Hij daar?'

'Tot je... Tot je eerste zonde.' Er klonk aarzeling in de stem van zijn vader, maar zijn antwoord was helder. 'Tot je iets fout doet, bedoel ik. Als je gevaarlijk hebt gespeeld, bijvoorbeeld, en Angelena pijn hebt gedaan. Of als papa of mama boos wordt, omdat je de baas wilt spelen.' Zijn vader keek ineens streng. 'Je bent stout als je niet luistert. Stil nu!'

'Ja maar...'

'Wat zei ik nou!'

De vader sloot de ogen en de zoon viel stil. Hij vouwde zijn handen en keek naar het kruisbeeld op de altaartafel, die de misdienaars nu afruimden.

'Gedachten over zonde tolden rond in mijn hoofd, ik herinner het me nog goed: nee, ik was niet altijd gehoorzaam; nee, ik luisterde vaak maar half naar mijn ouders; nee, ik was niet altijd lief voor Angelena. Het was een wonder dat Jezus in mijn hart wilde komen, binnenkort. Wat zou ik gaan proberen om Hem daar te houden. Zo lang mogelijk.'

Aan het einde van de dienst, op het klinken van de bel, zag Clemens nog net hoe de pastoor met zijn gevolg in de zijkerk verdween. Zijn vader klopte op zijn hoofd, gaf hem een compliment dat hij goed had opgelet. Met de andere gelovigen verzamelden ze zich voor de dubbele deuren, waarvan nu de helft gesloten bleef. Zo blijven ze wat langer hangen bij moeder Maria, zal de pastoor gedacht hebben.

Aan haar zijkant stond een zwarte kaarsenbak: ijzeren pinnen staken omhoog, Clemens telde er tweeëndertig. Je moest een kwartje in de geldkist doen; daarna mocht je een van de lange kaarsen pakken. De onderkant was met zilverpapier omwikkeld, zodat ze vanzelf zouden uitdoven; in een emmer onder de bak lagen de stompjes. Clemens keek vragend naar zijn vader, die op zoek ging in zijn portemonnee. Johan bracht het offer, terwijl Clemens een kaars uitzocht en die met beide handen in het vuur hield. De was voelde koel en zacht aan. Nadat de vlam was overgesprongen blies hij hem direct uit, want dat rook zo lekker. Toen hield hij hem weer in het vuur en prikte de brandende kaars aan een van de punten van het rek. Eronder zag hij glad zilverzand met hier en daar gestolde druppels was. Hij probeerde er eentje te pakken.

'Stop daarmee.' Zijn vader trok hem aan een oor – meer een aai eigenlijk. 'Heb je al een gebedje gezegd?' Meteen begon Clemens met een Weesgegroet, zijn ogen gericht op de vrouw in de witte jurk. Zijn vader knikte goedkeurend en dirigeerde hem later naar het wijwatervat bij de ingang. Tegelijk doopten ze hun vingers in het water en sloegen een kruis. Nu pas mochten ze gaan.

Generale

Daar heb je het. De eerste barst. Ontsproten uit de onwetendheid van zijn vader nog wel: de man die zijn kind leerde dat Christus in de vorm van brood tot zijn gelovigen komt, 'in je hartje'. Wat hij er niet bij vertelde was dat Hij er slechts een tijdelijke woning betrekt. Een tent op de camping. Zo gauw het brood is verdwenen, opgenomen door je lijf, weggeslikt na enkele minuten intens gebed, is de gelovige weer op zichzelf aangewezen. Weliswaar 'in staat van genade', zoals de formele term uit de sacramentenleer luidt, en dus gesterkt door de tijdelijke eenheid met de drie-ene God, maar alleen. Hij respecteert onze vrijheid. Hij biedt ons ruimte om te bewegen. Hij is Liefde en zoekt liefde. Zo had de boodschap moeten luiden.

De woorden van zijn vader zaaiden een heel ander concept in de gedachten van de jongen. Het zou jaren duren, maar uiteindelijk veranderden ze zijn leven in een wedstrijd van alles of niets: ofwel Jezus vond een rustplaats in zijn diepste diep, ofwel hij dreef Hem uit in een moment van zwakte of boosaardigheid. Winnen of verliezen. Tot elke nieuwe communie zou hij proberen om een goed mens te zijn, om zich aan de tien geboden te houden, aan de zaligsprekingen, aan alle maximen in de Schrift. Hij zou zijn staat van genade als een kwetsbare last, een glazen kelk, met zich meedragen tot hij aan het einde van elke heilige Mis even op adem kwam, tijdens de communie. Alleen met Jezus in zich wist hij zeker dat het goed was.

Zelfs toen hij later in het seminarie de waarheid ontdekte, toen hij doorkreeg dat een staat van genade volgens de katholieke theologie niet verloren ging door kleinere, 'dagelijkse' zonden, maar dat je er in werkelijkheid heel wat voor moet uitspoken, veranderde dit niets aan zijn beleving. Het was erin geslepen. Er stak een urgentie in zijn sacramentsbeleving die ik destijds niet begreep, maar die ik nu associeer met de zielenstrijd van een Augustinus, een Franciscus, een Luther zelfs. Hem ontbrak slechts hun volharding.

Maar ik ga te snel. En ik overdrijf, natuurlijk, want ik ben slechts een overwerkte priester in een prikkelarme omgeving: het klooster is als een vooroorlogs sanatorium, waar overgevoeligheid en neurose tegelijk behandeld en gekweekt worden. Ik raak verslaafd aan de kuur, ik voel het. Het kleinste gebaar, zoals de knipoog van de abt, vanmorgen tijdens de metten, neemt de grootste proporties aan. In mijn beleving verandert de mogelijk onwillekeurige kramp van zijn ooglid in een officiële goedkeuring, een bevestiging: 'Ga je gang maar, broeder, met de erfenis van je vroegere leerling. Neem je tijd om alles een plaats te geven. Je hebt alle tijd, maar ik houd je in de gaten. Weet je verzekerd van mijn vaderlijke, vorsende, afstandelijke blik.'

Hoezeer ik ook zelf voor deze situatie heb gekozen, gerust ben ik er niet op. Ik zocht de vergetelheid van het klooster. Ik heb geprobeerd om mezelf uit te wissen, om mijn wereldse zelf te vergeten, mijn pastorale ketenen af te werpen. Maar 'de wereld wil mij achterna, al waar ik ga of sta, of ooit mijn ogen sla', in de woorden van onderpastoor Gezelle. Het zij zo.

Laten we terugkeren naar Clemens, naar de week van zijn eerste communie. Een week die ineens een lading had gekregen die nieuw aanvoelde, bijna als een verjaardag, of sinterklaas, maar toch anders. Het draaide nu eens niet om cadeaus of om taart. Een geestelijke ervaring moest het worden; daar was de hele voorbereiding op de lagere school op gericht.

Pastoor Van Summeren was wekelijks in de les gekomen bij meester Frans, had verhalen voorgelezen uit de kinderbijbel. De Schrift was toch het hoofdgerecht. Jezus liep over water. David versloeg Goliath. Mozes bevrijdde het volk uit Egypte. Alle kinderen in de klas luisterden in gespannen stilte, een magische sfeer: hoe loopt dit af? In wat voor mysterieuze oudheid spelen deze verhalen? De pastoor bleef altijd te kort.

Dan nam de onderwijzer het over, liet zijn leerlingen vragen beantwoorden in een speciaal gedrukt boekje van het bisdom. Hierin geen rij met onbegrijpelijke antwoorden om uit het hoofd te leren, zoals vroeger, geen systematische invoering in het katholieke geloof voor Clemens' generatie. Beleving en ervaring moesten verwoord worden: wat vond jij van het verhaal? Hoe conservatief de pastoor ook was, zelfs na de jaren zestig bleef hij zich kleden in een zwart pak met priesterboord; hieraan had hij zich niet kunnen onttrekken. Het was een trend die Clemens in het seminarie zou leren duiden als 'infantilisering' en 'primitivisering', in het college godsdienstsociologie. De gelovigen begrepen het niet meer helemaal. Ze dachten dat ze het wisten, maar redeneerden steeds meer vanuit aannames, clichés, pseudo-herinneringen. Ze wisten niet wat ze niet wisten, dat was nog het ergste.

Ik zie het aan de bruine dossiermap in de doos, waarin Clemens een uiteenlopende hoeveelheid papieren heeft verzameld, als grillig gevormde puzzelstukken, getuigen van zijn zoektocht naar antwoorden. Achterpagina's van het *Bisdom-*

blad met heiligenlevens, bidprentjes, ansichtkaarten van een priester met stigmata, Maria's uit bedevaartplaatsen als Scherpenheuvel en Kevelaer, een boekje met de titel *Bron van het Geluk*. Een drukwerkje dat me angst aanjaagt. Het is kleiner dan A5, draagt een kerkelijke goedkeuring uit 1863 en is gebaseerd op de openbaringen van de heilige Brigitta in de kerk van Sint-Paulus te Rome, ergens rond 1350. De non was geobsedeerd door het lijden van haar Heer en bad volhardend om precies te weten te komen hoezeer haar bruidegom had geleden voor de verlossing van de mensheid.

Volgens de overlevering sprak Jezus haar op een mooie dag persoonlijk toe: 'Ik heb in mijn lichaam 5480 slagen ontvangen. Indien gij deze wilt gedenken, zult gij vijftien Onzevaders en vijftien Weesgegroeten bidden en de volgende gebeden verrichten gedurende een volledig jaar. Na dit tijdperk zult gij elke wonde in mijn lichaam vereerd hebben.'

Aan het vervullen van deze opdracht waren uiteraard naar goed middeleeuws gebruik de nodige gunsten verbonden. Ik pik er een paar uit, om de sfeer te schetsen. Je zult 'vijftien zielen van je stamverwanten uit het vagevuur redden'; 'vijftien dagen voor zijn dood zal ik hem mijn heilig Lichaam schenken opdat hij van de eeuwigdurende honger bevrijd zou worden en Ik zal hem mijn kostbaar Bloed te drinken geven om hem in eeuwigheid te laven' en ten slotte: 'Telkens men deze gebeden zal verrichten, verdient men 100 dagen aflaat.' Het kon niet op.

Te oordelen naar de jaartallen die hij op de voorkant heeft geschreven, '1983 en 1984!', heeft Clemens zijn quota aan gebeden meer dan verricht.

Maar we bevonden ons nog in 1980, in het mooie Brabantse grensdorp. In een lange rij wandelde de hele klas twee aan twee naar het kerkgebouw voor de generale repetitie. Clemens naast Vincent natuurlijk, nog net niet hand in hand, want dat was niet meer verplicht, zoals op de kleuterschool. Vincent genoot van het uitje, lachte hardop, was al langer dan de meeste jongens in de klas. Zijn mond stond niet stil over de racebaan met elektrische auto's die hij had uitgekozen. Clemens was vooral benieuwd wat ze nog moesten oefenen, nu hij alles al had gezien met zijn vader, maar in elke kerk was een geheime kamer, ontdekte hij, een ruimte vol geheimen. Ditmaal mochten ze voor het eerst in de gesloten dagkerk, achter de zwarte panelen.

Het bekende altaar was naar de smalle ruimte gedraaid, waar precies genoeg stoelen stonden voor de hele klas. Toen iedereen eindelijk een plaats had gevonden, leefde de pastoor op, vertelde over het laatste avondmaal, uit zijn hoofd dit keer. Hij liet zijn eigen gouden kelk van dichtbij zien; er stonden afbeeldingen van vis en brood op. Ook dat legde hij uit. Daarna toonde hij een andere kelk, die hij ciborie noemde. Deze had een deksel en er viel een gouden doek overheen. Hij had hem uit de brandkast gehaald.

'Zo is Jezus altijd bij ons,' sprak hij plechtig. Hij liep langs de kinderen om het hoopje hosties te laten zien. In stilte plaatste hij de ciborie terug in het tabernakel. Gordijntje ervoor. Deur dicht. Sleutel omgedraaid.

'Ik herinner me nog goed hoeveel moeite sommige klasgenoten hadden met het symbolische karakter van de eucharistie,' schreef Clemens jaren later in zijn dagboek. 'De pastoor legde heel geduldig uit dat het brood was veranderd in Jezus zelf. Zijn Lichaam en Bloed was geworden. Daarom mochten we er ook niet op bijten. Dat zou Jezus niet fijn vinden. Daarom mochten we er eigenlijk ook niet met onze vingers aanzitten. Het brood was heilig geworden. Toen iemand opmerkte, dat Jezus dan wel uit heel veel stukjes bestond, moest iedereen lachen. De pastoor legde geduldig uit dat voor God alles mogelijk is. Zelfs het onmogelijke.'

Als afsluiting van het bezoek trok hij een grote witte bus met ongeconsacreerde hosties open en begon ze achteloos en snel te verdelen over de rijen: 'Hier, geef maar door. Wil je er twee? Ook goed!'

Ineens was de sfeer weer vrolijk. Iedereen lachte, draaide zich om, liet de hostie aan zijn buurvrouw of buurman zien. 'Is die van jou ook zo rond?'

Vincent riep uit: 'Het is geen brood, het is plastic!'

'En toch is het brood,' reageerde de pastoor. 'Proef zelf maar.'

Op de berg

Zo veel herinneringen op de tapes, in de dagboeken, in de fotoalbums, zo veel details. Het valt me zwaar om een selectie te maken. Nu ik zelf aan het schrijven ben, mijn vulpen tegen de witte A4'tjes die ik in de doos heb aangetroffen, regel na regel na regel, merk ik dat ik voor dezelfde dilemma's sta als zijn moeder eerder in het babyboek, of als de gewijde schrijvers die de mij zo dierbare evangelies componeerden. Wat moet ik vastleggen? Waarom laat ik dit weg? Zou ik dat wel vertellen?

De exegeten stellen dat de evangelisten alleen maar de bijzonderheden opschreven over Jezus' kindertijd: de geboorte en de vlucht naar Egypte, de profetie door Simeon, zijn optreden in de tempel als twaalfjarige. Al het normale zou toch maar afleiden van de boodschap of overbodig zijn, omdat het overbekend was. Geen cliché in een goed boek. Elk pistool moet knallen. Maar precies daarom laat Jezus' leven zich zo gemakkelijk lenen voor herduiding en misbruik. Je kunt met hem aan de haal, omdat er hiaten zitten in zijn levensbeschrijving – van zijn twaalfde tot zijn dertigste, bijvoorbeeld. Waarschijnlijk is hij in deze periode getrouwd geweest, zoals elke normale Joodse man. Dat we er niets over lezen, is juist het bewijs! Maar omdat het er niet expliciet staat, zitten we nu met een Kerk waarin het celibaat het ideaalbeeld van christelijk leven is. Je kunt ook te veel schrappen.

Keren we dus terug naar Clemens' herinneringen aan de zaterdagmorgen voor zijn eerste communie, toen hij met zijn vader naar de halfverzonken garage liep, een trapje af van niet meer dan drie treden. Ze kwamen in de ruimte zonder ramen, met een laag plafond bedekt met wit isolatiemateriaal. Als Clemens sprong, kon hij erbij, zijn vingers erin drukken. In het groenige licht van een tl-buis verscheen de trots van zijn vader: een Yamaha xs750, driecilinder. Groot, machtig. Het blok was zwart gespoten, de tank had een zilveren bies, net zoals de topkoffer, die dubbelde als rugleuning. Twee beroete zijkoffers waren met een extra touw vastgesnoerd aan het frame.

'Die banden waren typerend voor mijn vader. Hij wilde niet eindigen als die andere motorrijders met maar één koffer. Liever sjorde hij er een felgekleurde spanband omheen, die eigenlijk geen gezicht was. Altijd voorzichtig, te voorzichtig. Trok voor elk ritje zijn motorpak aan, zijn handschoenen en laarzen, deed een helm op. En natuurlijk nooit een ongeluk gehad.'

Ik hoor hem glimlachen terwijl hij het zegt. Hij klinkt berustend, als iemand die het drama dat volgt een plaats heeft gegeven.

'Mijn herinneringen aan de ritjes met mijn vader lijken allemaal op elkaar. Eerst het omkleden. Dan trekt hij hard aan het stuur en het zadel om de machine van de middenbok af te krijgen. De kilo's komen met een dreun neer; daarop volgt een moment van balanceren. Pas als hij zit, met één been aan elke kant, is het eerste gevaar voorbij. Dan steekt hij zijn duim op.

Met een snelle beweging draait hij aan een knop, trekt aan een hendel onder het zadel en duwt op START. Benzine stroomt door de carburateurs, een beetje zuurstof erbij, het mengsel passeert de kleppen en komt in de drie brandkamers terecht, waar de zuigers losgaan op een vonkje van de bougies. Zo heeft pa het uitgelegd. Daarna duwt hij langzaam de choke in en kruipt de motor pruttelend uit de garage, de hellende oprit over. Het is mijn taak om de metalen valdeur met een klap dicht te gooien, daarna klim ik achterop en sla mijn armen om hem heen.

Dan begint het grote genieten. De machine valt in de bochten; alleen een draai aan het gas kan ons redden van de harde grond. De acceleratie duwt het beest weer overeind, weg van de naderende berm, over het dode punt heen, als een katapult naar de honderdveertig, tot ik door de rijwind nauwelijks nog kan ademen. Daarna remmen we alweer. Soms brult mijn vader een instructie tegen de rijwind in: "Meehangen!" Voor mij was motorrijden vooral luchthappen en loslaten.'

Op hun ritten kwamen ze door de straten van het grensdorp, kwamen langs de brouwerij en het stadhuis in het kleine centrum, passeerden de Nassau-Dietz-kazerne, vlogen langs velden en weiden, snelden over het asfalt in de richting van de Belgische abdij, doken de bossen in, waar de dennen zich uit de schrale grond naar het zonlicht vochten. Zijn vader hield in bij een bult in de weg, misschien vijf meter hoog; wie erover reed, voelde de lift. Op deze Buulder Berg parkeerde zijn vader de motor in de berm.

Het was hun laatste rit. Clemens had me verteld dat het contrast niet groter kon zijn: het plezier van het rijden zelf, het gevoel van verbondenheid, al spraken ze nauwelijks een woord. Hij had genoten van het hardlopen, was vooruitgeracet en had gewacht op zijn vader, die achter hem aan kwam, eerst nog vol goede moed, langzaam steeds langzamer. Tot hij stilstond. Tot ook zijn hart stopte.

'Mijn vader had al vroeg last van hoge bloeddruk; daarom was hij afgewezen voor de militaire dienstplicht. De keuringsarts had hem gezegd dat hij vast niet oud zou worden, en daar was hij erg van geschrokken. Hij waarschuwde mijn moeder, voordat het serieus werd, maar zij had geantwoord dat ze graag met hem zou trouwen, al was het maar voor een jaar. De eerste tijd leek er niets aan de hand en was alles onder controle. Hij slikte pillen die goed werkten, totdat hij op een goede dag in de bibliotheek een boek van James Fixx ontdekte. Toen ging hij zelf dokteren.'

Hij klonk nu kalm, bijna vlak.

'Eerst dacht ik dat hij weg was, verstoppertje speelde. Ik was nog zo jong. Toen ik terugliep, zag ik hem liggen in de schaduw van het achterwiel. Het gezicht voorover in het zand. Een hoopje mens. Zacht raakte ik een elleboog aan, duwde tegen zijn schouder. Geen reactie. Ik ging bij hem zitten, durfde hem niet alleen te laten.'

Urenlang had Clemens zijn vader in de armen gehouden, eerst huilend, daarna zacht pratend. Hij voelde zich schuldig, fluisterde urenlang zijn excuses dat hij hem te veel had opgejaagd, te weinig rust had gelaten. Na de woorden bleef de stilte. Ook toen zijn moeder hen eindelijk had gevonden sprak hij niet, ging op haar woord naar de auto, kroop op de achterbank en trok de gordel strak om zijn buik aan. Zwijgend keerden ze naar huis terug.

Die avond dekte zijn moeder de tafel zoals altijd met het Jäger-servies, het bijpassende tafelkleed en de Duralex-glazen voor het water. Ze had haar man achtergelaten in de handen van een uitvaartondernemer, die haar geruststellend toeknikte. Alsof het goed was. Ze hoefde alleen nog maar het pak te brengen; dan zouden ze hem netjes opbaren, om later afscheid te nemen. Ze had geen beslissingen genomen, wilde eerst overleggen met de pastoor, met de familie. Ze zag op tegen het eindeloze bezoek dat zou volgen, maar ze wist dat er geen ontsnappen aan was. Ze zou sterk zijn voor de kinderen.

Er stonden drie borden op tafel, en één onderzetter. Voor macaroni was niet veel inspanning nodig en het was snel klaar. Saus uit een zakje. Ze riep naar boven, waar Angelena en Clemens voor de zwart-wittelevisie zaten. Bij wijze van uitzondering mochten ze in de grote slaapkamer kijken wat ze wilden.

Ze wees naar de tafel: 'Clemens, jij mag op de plaats van papa zitten.' Haar gezicht liet geen emotie zien. Alleen haar ogen knipperden een paar keer snel na elkaar.

'We gaan vanaf nu samen verder,' zei ze. 'Wie lust er macaroni? Mét kaas?'

Angelena zei zacht: 'Lekker.' Clemens ging zitten op zijn nieuwe stoel. Het vreemde besef bekroop hem dat hij promotie had gemaakt.

'Moet ik dan ook voorbidden?' vroeg hij. Zijn moeder knikte. De maaltijd verliep in stilte, de afwas was sneller klaar dan anders.

'Wanneer komt papa thuis?' had Angelena gevraagd.

Hierop was hun moeder zacht gaan huilen en had Clemens gezegd: 'Papa komt niet meer thuis.'

Christine had haar snikken weggeslikt en gezegd: 'Jullie vader is nu in de hemel. Maar hij ziet alles wat er hier gebeurt. Hij houdt nog steeds erg veel van ons.' Ze had Angelena omhelsd en strak vastgehouden. Clemens keek toe vanaf het hoofd van de tafel.

'Vlak daarna belde pastoor Van Summeren aan en mochten we weer naar boven.' Hij bracht het nieuws dat hij had besloten dat de eerstecommunieviering door zou gaan zoals gepland. Een speciale voorbede voor de overledene, uiteraard. De uitvaart zou later die week plaatsvinden.

In de ochtend had Clemens zijn nieuw ruikende kleren aangetrokken, witte sportschoenen met klittenband en een donker vest dat aanvoelde als fluweel. Hij ontbeet met zijn moeder en zus, en ging ruim van tevoren naar de kerk om zich aan te sluiten bij de andere eerstelingen in de dagkerk. Iedereen had hem ernstig een hand gegeven. Zijn moeder bleef thuis met Angelena; er was nog zoveel te regelen.

Als in een mist was de dienst van het woord voorbijgetrokken. Clemens had gestaan en gezeten, gezongen met de rest, hardop geantwoord en in stilte gebeden, zoals hem was geleerd. Hij werd gedragen door de groep, en ervoer dat ook zo. Er was een speciale voorbede voor Johan Driessen en er werd gebeden om kracht voor het gezin dat achterbleef. Gelovigen keken bezorgd in zijn richting, meende hij. Men voegde zich naar het ritueel.

In het tweede gedeelte van de dienst stond de altaartafel centraal. Gebogen sprak de priester met de mond dicht bij de microfoon: 'Neemt en eet hiervan, gij allen, want dit is mijn Lichaam dat voor u gebroken wordt,' en hield hij de bekende schijf omhoog.

'Heer, ik ben niet waardig dat Gij tot mij komt maar spreek slechts één woord en ik zal gezond worden.' Clemens boog zijn hoofd tot op de borst en bleef zacht herhalen: 'Ik ben niet waardig, nietswaardig, nietswaardig.'

Met de handen voor zijn borst gevouwen liep hij in de rij naar de priester. Boog kort, net zoals hij zijn vader had zien doen.

'Het Lichaam van Christus.'

'Ja. Amen.'

Hij stopte snel het brood in zijn mond, ging haastig zitten voor het grote moment. Hij wachtte op de komst van Jezus in zijn hart. Hij opende zich voor Hem terwijl hij zijn ogen sloot. Hij was er klaar voor.

Er gebeurde niets.

'Geen stem, geen warm gevoel, geen licht van boven, geen duif, geen vuurwerk of engelengezang, geen scheur in het metselwerk boven de ingang van de kerk. Helemaal niets. Ik had me er meer van voorgesteld. Alleen schoot de hostie ineens omhoog tegen mijn verhemelte, zoog zich vast als een bloedzuiger. Met mijn tong probeerde ik hem los te maken, maar Jezus gaf niet mee. Er zat niets anders op dan te wachten tot hij vanzelf in het niets oploste.'

Thuis stond er een cadeau in de garage, nog door zijn vader gekocht en versierd met slingers, afgedekt met een zeil. Een kleine herenfiets, precies zijn maat, in een sportieve donkergroene kleur.

'Kijk, dit vond je vader zo mooi.' Zijn moeder deed het licht uit en bescheen het cadeau met een zaklamp. De wielen lichtten op, twee flitsende cirkels. 'Neem hem mee voor een rondje.'

Die middag reed hij door het dorp, tussen de velden, toerde door de bossen, waar hij af en toe een flits van zijn hardlopende vader dacht te zien. Steeds reed hij op volle kracht, bochten pikkend, genietend van de wind in zijn oren. Hij hoorde zijn eigen gedachten zelfs niet meer. Het enige wat er nog aan ontbrak was het juiste geluid. Dit loste hij later op door oude speelkaarten met houten wasknijpers aan zijn spatborden te klemmen. Eindelijk had hij zijn eigen kleine motorfiets. Hij trok ratelend op, reed zo hard hij kon, trapte ineens op de rem, om daarna op te trekken. De wind, de kaarten, het luide kloppen van zijn eigen hart – op die momenten vergat hij alles.

Toen hij moegereden was, keerde hij in een rustig tempo terug naar huis, stapte met trillende spieren van de fiets en parkeerde deze in de garage naast de Yamaha van zijn vader.

Later die week kwam de pastoor in de klas, dit keer niet om catechese te geven, maar om een vraag te stellen.

'Jullie hebben allemaal de eerste communie gedaan. Proficiat! Nu mogen jullie ook misdienaar worden. Dan moet je eens per week de ochtendmis dienen. Ik verwacht je om kwart voor acht. De viering duurt een klein halfuur. Daarna mag je met de fiets naar school, want anders kom je te laat. Wie wil?'

Clemens stak als eerste zijn hand op.

Leuke dingen

Uit de bronnen blijkt dat Clemens na het overlijden van zijn vader veranderde. Hoe kon het ook anders? Zijn energie en gewicht namen af, de verlegenheid op school nam toe, zijn obsessie met de Kerk werd evident. Hij vroeg aan de pastoor om vaker te mogen misdienen, twee dagen per week, drie was nog beter. In de klas droomde hij weg, verdween in een universum vol heiligen, engelen, overleden zielen. Hield de details voor zichzelf. Iedereen had er begrip voor dat hij iets anders aan zijn hoofd had, hield op voorhand al rekening met zijn gevoeligheid.

Behalve Vincent natuurlijk, Clemens' eerste en beste vriendje. Zoals altijd nodigde hij Clemens uit om te komen spelen, duwde hem in zijn enthousiasme uit zijn isolement. Ze voetbalden op het plein voor zijn huis in de Gildenstraat, een volgende woensdagmiddag gingen ze naar de bossen om een hut te bouwen, een andere keer zochten ze witte bessen om af te schieten door hun blaaspijpen van elektriciteitsbuis; elke week ging het initiatief van Vincent uit en had hij de leukste invallen. Over het overlijden van Clemens' vader spraken ze niet, en dat was maar goed ook. Hoe moest hij vertellen over de dromen, waar hij met een ruk uit wakker schrok?

'Ik voetbalde op een enorm grasveld, tussen de ruisende populieren. De keeper van de tegenpartij schoot de bal hoog in de lucht, in mijn richting. Ik dacht: niet in mijn richting, die is te moeilijk. Bij het neerkomen veranderde de bal in het levensgrote hoofd van mijn vader.' Of ook: 'Ik was aan het werk tussen de zwartgeribde aspergebedden in de moestuin en zag dat een knop op het punt stond om zich door de gladde aarde te werken. Ik stak mijn mes aan de basis in de grond en trok er het groene hoofd van mijn pa uit.'

Elke nacht bracht een nieuwe variatie van hetzelfde thema.

Zijn moeder hield hem in de gaten, maar was niet in staat om de afstand te overbruggen. Soms probeerde ze met hem te praten tijdens de afwas of in de auto, zolang ze maar wat omhanden hadden. Het werden korte gesprekken, waarin de aandacht onvermijdelijk verschoof naar haar eigen zorgen. Later verweet ze hem dat hij toch zo handig buiten schot wist te blijven: 'Ik weet nooit precies wat er in je omgaat.'

'Veel stelt het niet voor,' lachte hij dan.

Pas toen hij in de vierde klas flauwviel tijdens een heilige Mis kon hij zich niet meer verschuilen. Zijn moeder nam hem mee naar dokter Sluys, sprak over haar zorgen, over de cijfers die steeds verder achteruitgingen, over zijn gewichtsverlies, zijn vermoeidheid. Ze had er zelfs wakker van gelegen.

Clemens had naar de grond gekeken alsof het niet over hem ging, zijn handen in de ondiepe zakken van zijn spijkerjas. Hij had gehoopt zijn mond te houden, maar kon niet om een verklaring heen.

'Toen legde ik uit dat het een speciale viering was geweest, mijn eerste uitvaart waarin ik het wierookvat had mogen dragen. Best een eer voor zo'n jonge misdienaar. Alles ging goed, tot het evangelie begon. De pastoor bewierookte het heilige

Boek en gaf mij daarna het vat terug. Ik moest achter hem wachten totdat de lezing voorbij was. Dat duurde gewoon te lang.'

Dokter Sluys had dę verklaring geaccepteerd, maar vroeg ook door: 'Waarom zegt je moeder dan dat je te weinig eet?'

Clemens had geantwoord dat hij voor het communiceren nuchter wilde blijven, een goed kerkelijk gebruik.

'Dat heb je zeker in die oude catechismus gelezen,' had zijn moeder heftig geroepen. 'Je weet toch wel dat niet alles waar is wat je leest? We leven niet meer in de jaren vijftig!'

'Ik kneep wat harder in het kruis van de rozenkrans die ik steeds bij me had en probeerde rustig uit te leggen dat volgens mij niet alles was veranderd in de Kerk. De pastoor had het zelf gezegd: het belangrijkste zal nooit verdwijnen. De Mis zal altijd heilig blijven.'

De huisarts had de discussie onderbroken, had geluisterd naar Clemens' hart en longen, een snelle serie van indringende vragen afgevuurd: ben je moe als je opstaat? Hoe laat ga je slapen? Ben je over het algemeen vrolijk? Daarna keek hij in zijn keel, voelde aan zijn hals. Hij opperde de mogelijkheid dat Clemens de ziekte van Pfeiffer had, 'maar dat was niet zeker, ik was aan de jonge kant'. Het zou waarschijnlijk vanzelf beter gaan. Clemens beloofde extra veel te eten, ná iedere Mis. Hij zou opletten op school, vroeger naar bed gaan om fit te worden. Dokter Sluys besloot het consult en richtte zich tot zijn moeder: 'De jongen is best voor rede vatbaar, maar heeft natuurlijk veel meegemaakt. Probeer hem zo veel mogelijk te stimuleren om leuke dingen te doen, dan komt alles in orde.'

Niet lang daarna liet pastoor Van Summeren hem een gestencilde folder zien met een aanmeldingsformulier voor een misdienaarskamp, georganiseerd door bisdom Roermond. 'Leuk én leerzaam,' had hij gezegd, 'de perfecte combinatie.' Het werd een belangrijke, misschien wel bepalende fase in zijn geestelijke vorming. In de jaarlijkse vakantieweken ontdekte hij dat er soortgenoten bestonden, ontmoette hij kinderen die ook geloofden, maakte nieuwe vrienden, al was het maar voor een week. Daar ontdekte hij dat er zoiets als een priesteropleiding bestond, waar daadwerkelijk mensen gingen studeren. Hij zag ineens dat misdienaars ook goed kunnen voetballen, sommigen in elk geval, en dat de bisschop een mens was van vlees en bloed in plaats van een ouderwetse naam tijdens de Mis. Hij was geen uitzondering meer.

De ochtend van zijn eerste kamp, amper tien jaar oud, had hij geen enkele aansporing nodig om te vertrekken. Met zijn geruite vouwkoffer in de ene hand en een vuilniszak met slaapzak in de andere stond hij vanaf de vroege ochtend te wachten. Alles wat hij nodig had om te overleven in de oerbossen van Limburg kon hij in twee handen meenemen. Ongekamd en veerkrachtig stond Clemens' haar nog op zijn hoofd. Hij droeg zijn stoere paarse T-shirt met de ananas erop en een nieuw jack, stond te trappelen op zijn Adidas. Maar wat duurde het weer lang voordat de dames er waren.

Toen zijn moeder eindelijk de wagen startte, reed ze niet weg, maar keek kort opzij. 'Je gordel!' Pas toen ze de klik hoorde, gaf ze gas. Demonstratief drukte Clemens nog het knopje van het deurslot in. Het geronk van de Mazda nam de cocon over: moeder concentreerde zich op de weg, achterin ritselde een stripverhaal. Clemens' enige taak was zich te laten meevoeren. Hij probeerde zijn ogen stil te houden, wilde niet focussen op een lantaarnpaal of de strepen op de weg. De wereld moest glijden. Zijn hoofd kwam alleen los van de steun wanneer Christine remde.

Het was zijn eerste lange rit voorin. Om de auto te kunnen

betalen had zijn moeder niet alleen de oude ingeruild, maar ook de oude Yamaha verkocht. Zo was er meer ruimte in de garage, dat begreep Clemens wel. Maar tegelijk dacht hij aan de woorden van zijn vader: 'Een auto is een rijdende televisie: je zit op je luie stoel te wachten tot je aankomt, terwijl je naar een groot scherm kijkt. Je hebt geen echt contact met de wereld.' Op een motor voelde je de wind aan je hoofd en armen trekken, hoorde je de banden, mocht je aandacht geen seconde verslappen. Er was geen kreukelzone. Zijn vader had gelachen: 'Op de motor leef ik pas echt.'

Clemens slikte, draaide zijn hoofd naar het portier, staarde naar het voorbijflitsende groen en grijs. Met zijn hand reikte hij naar de greep, trok eraan, maar hij gaf niet mee. Zijn blik viel op letters in de hoek van het raam: SECURITY GLASS. Hij grinnikte. Hoe kon glas nu veilig zijn? Zijn moeder keek opzij, maar had niets in de gaten; ze leek hem nauwelijks waar te nemen. Clemens haalde het slot eraf, zomaar. Waarom had hij het eigenlijk ingedrukt?

Als vanzelf reikte zijn hand weer naar de portiergreep, streelde het harde plastic, voelde de holte erachter, wreef er gedachteloos over, tot de greep ineens meegaf en het portier openvloog.

Herrie en wind drongen de cabine binnen, papier klapperde, Angelena begon op hoge toon te gillen, de auto slingerde terwijl zijn moeder haar best deed om hem naar de berm te sturen. Ze trapte hard op de rem en reikte met haar rechterhand naar het open portier. Clemens hing in zijn driepuntsgordel en zag verbaasd hoe de autodeur door de luchtdruk weer dichtklapte. Er was niets aan de hand.

'Wat doe je nou? Wat zit er toch in je hoofd?' Zijn moeder duwde hem tegen de rugleuning en trok de deur nog eens goed in het slot. 'Of wil je soms achterin, naast je kleine zusje? Achter het kinderslot?'

'Nee, mam, ik heb me vergist. Ik zal het niet meer doen.'

Ze keek hem bezorgd aan, stelde geen vragen meer. Het was een geluk dat er geen tegenliggers waren geweest.

Het kampterrein was niet meer dan een boerenerf, te oordelen naar de enkele foto die Clemens heeft bewaard van zijn kampen. Ik zie een lange schuur met een golfplaten dak parallel aan de weg, half verscholen tussen de bomen. Er waren vast ooit legbatterijkippen gehuisvest, of varkens. Verderop staat een tweede gebouw, dat er gezelliger uitziet: kleine ruitjes, een rieten dak. Naast de schuur is een hele berg bagage te zien en er staan tientallen jongens, allemaal in de leeftijd van acht tot twaalf jaar. Na een tijdje zoeken zie ik hem staan aan de rand, de duim van zijn linkerhand stoer in zijn broek gehaakt. Met zijn andere zwaait hij in de richting van de fotograaf.

De tweekoppige hoofdleiding van zijn eerste kamp bestond uit een mollige, wat oudere seminarist uit Rolduc en een jongensachtige priester in hetzelfde uniform als zijn eigen pastoor. Met enkele snelle woorden in een opvallend Limburgs accent heette de eerste iedereen welkom. Hij beloofde dat het een onvergetelijke week zou worden. De priester benadrukte dat iedereen wel uit verschillende delen van het land kwam – zelf sprak hij met een Haags accent – maar dat ze toch bij elkaar hoorden. De Kerk oversteeg parochiegrenzen, bisdomgrenzen zelfs. 'Het geloof verbroedert,' besloot hij. 'Daarom zijn we hier. Je kunt het zien als een soort trainingskamp, waardoor je een betere misdienaar en een betere gelovige wordt.'

'En het wordt nog leuk ook!' haakte de hoofdleider in, waarop hij instructies gaf voor het kennismakingsspel. De groep reageerde vlot, bewoog zich zonder aarzelen, conformeerde zich vlekkeloos aan de effectieve kerkelijke pedagogiek, die uiteraard terugging op de heilige Don Bosco. Een kaftloze, bruin uitgeslagen en ongesneden uitgave over de goede man trof ik aan in de doos. Geschreven door A. Auffray: *La Pédagogie d'un Saint. Du pédagogue, il n'avait que l'indispensable. Du pion, il n'avait absolument rien. Du père, il avait absolument tout.* Parijs 1945. Het handelt over het 'preventieve systeem': wissel leermomenten af met fysieke activiteiten, zorg voor vriendelijke, maar voortdurende supervisie, wees 'doux, mais implacablement ferme'. De onschuldige vakantieweek had zijn methodische wortels tot diep in de jongensinternaten van de negentiende eeuw.

Ik stel me voor dat iedereen al snel een slaapplaats had gevonden en dat de onoverzichtelijke groep vlot was verdeeld in subgroepen met zowel een leider als een hulpleider, bij wie ze altijd terechtkonden. De groep van Clemens noemde zich de Zandvreters en had de strijdkreet verzonnen: 'Ruw en taai, want zand schuurt de maag!' Daar wonnen ze geen prijs mee. De kinderen sliepen en aten in de lage schuur; de mooie boerderij bleek te zijn ingericht als permanente kapel. Hier verzorgde de kamppriester elke dag het 'catechetisch moment', waarbij hij verhalen voorlas uit de Bijbel of de geschiedenis van de Kerk en uitleg gaf over het leven als misdienaar. Aansluitend maakten ze er tekeningen; dat noemde hij 'Verwerking'. Eén keer knoopten ze een eigen rozenkrans, waarbij Clemens koos voor het rood van de wonden van Jezus en het wit van de maagdelijkheid van Maria. In de boerderij waren ook de dagelijkse heilige Mis en de dagafsluiting voor het Mariabeeld. Op het veld voor de kapel speelden ze voetbal en trefbal, een zeskamp. In het bos hielden ze op een avond een dropping.

'Ik leefde het hele jaar toe naar deze ene vakantieweek, eerlijk gezegd. Ik vond het prachtig. En heus niet omdat iedereen daar zo vroom of braaf was, want dat was niet zo. Sommige jongens waren helemaal geen misdienaar. Anderen speelden altijd vals, bij Levend Stratego bijvoorbeeld. Dan hielden ze stiekem twee kaartjes bij zich, hoog en laag, zodat ze altijd wonnen, de eerste waren. Ik heb nooit begrepen waarom dat zo belangrijk voor ze was.'

Clemens vertelde me over zijn eerste ontmoeting met een levende, ademende bisschop, die van Roermond. Hij kwam op bezoek op de voorlaatste dag en bleek een man met smalle schouders en een scheve lach, alsof zijn mondhoek stiekem sabbelde aan een onzichtbare sigaar. De jongens verzamelden zich om hem heen voor een kennismaking.

Elk groepje had vragen voorbereid: wat is uw lievelingskleur? (paars); uw lievelingsgetal? (drie); hoe lang bent u al bisschop? (tien jaar). Hij liet zijn staf zien, die in vier delen uit een koffer kwam. Hij vertelde dat herders zoiets gebruikten om de kudde bij elkaar te houden: 'Kijk maar naar het schepje aan het eind; daarmee kun je zand gooien naar schapen die te ver afdwalen. Dan schrikken ze en zoeken ze weer de veiligheid van de kudde op.' Hij vertelde over het paarse keppeltje, dat hij altijd op hield, 'Ook in bed?' (nee, dan droeg hij een grote wollen slaapmuts). Iedereen moest lachen.

Later ging hij natuurlijk voor in de eucharistie, een extra plechtige dienst, waarbij de bisschop zijn preek uit het hoofd uitsprak. Hij leunde op de staf en droeg zijn mijter, die alleen af ging tijdens het laatste deel van de heilige Mis. Ook al was er niemand dood, toch gebruikten ze wierook. De kampleider liep ermee tussen de jongens door, zodat iedereen hetzelfde ging ruiken. Met elke zwaai ademde het zilveren vat een wolkje uit, niet zwaar of drukkend, zoals Clemens deze geur kende, maar zoet en licht. De jongens zongen de liedjes die ze hadden ingestudeerd; de hoofdleider begeleidde hen op gitaar. Zelfs Clemens durfde zacht mee te brommen.

Het tafelgebed was aangepast aan de gelegenheid, en speciaal voor kinderen. Dat staat er tenminste boven; Clemens heeft het boekje zorgvuldig bewaard. De liturgische tekst was voor iedereen te begrijpen: 'Ja, echt goed zijt Gij. Gij houdt van ons en onze wereld is Uw wonder. Gij wilt heel dicht bij ons zijn.'

Hier moest iedereen gaan staan.

'Zoveel houdt Gij van ons dat Gij ons Jezus hebt gegeven, uw Zoon, om ons de weg tot U te tonen.'

Het mooiste moment kwam meteen daarna: 'Denk, Heer, aan paus Johannes Paulus, aan mij, uw onwaardige dienaar, en aan alle andere bisschoppen.'

De voorganger had bescheiden op zijn borst geklopt, zoals bij de schuldbelijdenis aan het begin. Als vanzelf imiteerde Clemens het gebaar en herhaalde in stilte de woorden. 'Onwaardige dienaar.'

Het klonk al wonderlijk vertrouwd.

Hoog & droog

Nauwelijks een woord schreef hij in zijn dagboeken over zijn zus. Opmerkingen over het gezinsleven zijn spaarzaam. De uitgebreide familie lijkt niet te bestaan, noch van vaders- noch van moederskant. Evenmin als zijn eigen moeder. Had ik niet de orale bronnen van de tapes en onze gesprekken gekend, dan had ik overtuigend kunnen argumenteren dat Clemens een autist was. Had er geen familiefoto in de doos gezeten, genomen tijdens een of andere verjaardag, dan had ik hem kunnen presenteren als een weeskind, een vondeling.

In werkelijkheid zie ik een fijngebouwde jongen tussen soortgelijke neven en nichten staan, wat aan de rand, zijn glimlach niet meer dan een scheef streepje. Hij zuigt de bovenlip naar binnen, lijkt het. Verder is het een collectie brave burgers: corduroy pantalons, geblokte overhemden onder kleurrijke truien, hier en daar een bril op de neus. De hoeveelheid snorren en halve baarden valt op, al moet je dat in de tijd zien. De vrouwen, meestal in plooirok tot over de knie, hielden hun schouders bedekt, droegen geen kostbare of creatieve sieraden, toonden geen rode teennagel. Iedereen lacht vriendelijk naar de camera. De centrale figuur op de foto, oma Driessen, heeft de uitstraling van een trots familiemens en beantwoordt

50

uitstekend aan het schoonheidsideaal voor grootmoeders in die tijd: hoornen bril, ruimvallende jurk met bloemen, spierwit permanentje. Het had een saai gezelschap kunnen zijn, als niet uit Clemens' verhalen een ander beeld naar voren was gekomen.

Zo hadden met uitzondering van Johan de gebroeders Driessen allemaal een gooi gedaan naar het gewijde ambt, een antwoord willen geven op een vermeende roepstem in hun hart. Ze hadden zich de een na de ander aangemeld bij dezelfde paters van de Heilige Geest te Gemert, een soort vrome estafetteloop, hadden er enkele maanden tot een paar jaar doorgebracht, maar waren teruggekeerd in de wereld, waar ze trouwden en kinderen kregen. Niemand slaagde erin om de volle termijn uit te zitten. Niemand wist er het fijne van.

Zelf vermoed ik dat de emigratie van het jonge gezin in 1942 uit Amsterdam naar het noorden van Limburg een rol speelt: ontworteling en godsvrucht gaan wel vaker hand in hand. Of anders het vroegtijdige overlijden van de man des huizes, Gerard Driessen: wie vaderloos opgroeit, zoekt een hemels alternatief. Vroomheid door tekort. Geen wonder dat het niet standhield, dat de godsvrucht van de gebroeders zelfs bizarre vormen ging aannemen.

De gelegenheid bij uitstek om deze hoogstpersoonlijke samenraapsels van religieuze overtuigingen uit te wisselen, waren natuurlijk de verjaardagen. Van het geloof in kabouters tot devotie voor heiligen die decennialang leefden op weinig meer dan een gewijde hostie per dag. Van angst voor de wederkomst van Christus, die de hele mensheid in een brandende hel zou gooien (op een kleine groep uitverkorenen na) tot ontzag voor de kosmische straling van de piramides. Van astrologie tot duivelse bezetenheid. Van edelstenen tot Sai Baba. Samen geloofden ze alles. Clemens kwam niet uit de lucht vallen.

51

Oma sprak nooit haar verbazing uit over de religieuze lenigheid van haar kroost. Zelf had ze voldoende aan de bijstand van moeder Maria. Vooral die van Lourdes, volgens Bernadette Soubirous gekleed in maagdelijk wit, de genezeres van medisch hopelozen. Na haar eerste heupoperatie nam ze de bus naar die vroomste der badplaatsen, liet zich in het zwarte water zakken en rees er handdoekdroog uit op. Bewijs geleverd. Toen ze tien jaar later voor de andere heup dezelfde operatie moest ondergaan, bleef haar vertrouwen ongeschokt. Ze was niet teleurgesteld om het halve werk dat de Lourdes-Maria eerder had geleverd: 'Ze heeft me toen geholpen, ook nu helpt ze me. Dat is Gods wil.'

Gelukkig kwamen verjaardagen in Budel ook neer op het nuttigen van flinke stukken vlaai – abrikozen met slagroom bij voorkeur – op het ronddelen van sigaretten in mosterdglazen en het aanreiken van een aansteker die verborgen zat in een blok natuursteen. Op het moment dat de volwassenen overschakelden op alcohol mochten de kinderen naar buiten. Iedereen wist te genieten van de fysieke spelletjes, zoals verstoppertje: de boom in het plantsoen was de buut, of anders de vrijstaande brievenbus voor Huize Christina. Samen met de buurtkinderen en de neven en nichten speelden Angelena en Clemens urenlang op straat, renden ze over het plaveisel van witte en zwarte stenen, hurkten ze achter struiken, zacht fluisterend: 'Zie jij hem al? Wie was 'm ook alweer?' Stilte voor de sprint.

De laatste verjaardag van de vakantie, vlak voordat Clemens naar de middelbare school zou gaan, verliep niet anders. Angelena was blij met haar cadeaus. De andere kinderen hadden gezongen, gegeten en gesnoept en konden geen genoeg krijgen van het buitenspel. Zo niet Clemens.

Op het moment dat iemand voor de honderdste keer hardop

begon te tellen, draaide hij zich ook om, rende naar het ouderlijk huis, door de tuin en over de onverharde weg daarachter. Hij sprong over een droge sloot met een eik ernaast en klauterde omhoog. Dat had hij vaker gedaan, handig als een aap. Tak voor tak raakte hij los en vrij van de anderen, ging zitten met zijn rug tegen de stam, nagenoeg onzichtbaar voor de wereld beneden. Hij had er met zijn zakmes een kruis gekerfd, een streng Latijns kruis. In de verte zag hij de kerktoren van Hamont.

Onverwacht snel klonken de stemmen van de anderen in de verte. Blijkbaar had iemand hem toch gemist. Het maakte hem niet uit. Zijn benen bewoog hij los in de hoogte, uit zijn broekzak had hij zijn blauwe rozenkrans opgediept. Hij wilde net beginnen aan de blijde geheimen toen iemand dreigde dat ze het spel zouden hervatten.

'Verborgen en onzichtbaar bleef ik waar ik was. Op het levende hout liet ik mijn gedachten hun associatieve en vrije loop gaan, nauwelijks onderbroken door het mondgebed. Een prettige combinatie, die mijn geest tot rust bracht en verdriet bezwoer dat altijd onder de oppervlakte school. Sinds ik aan de voeten van het Mariabeeld in de kerk een folder met instructies had gevonden, wist ik eindelijk hoe de rozenkrans werkelijk bedoeld was: je prevelde Weesgegroetjes, maar je dacht aan het leven van Maria of Jezus. Geleide meditatie. Het meest hield ik wel van de droevige geheimen: Jezus wordt gegeseld, Jezus wordt met doornen gekroond, Jezus draagt zijn kruis, Jezus wordt aan het kruis geslagen, Jezus sterft aan het kruis. De Zoon van God had zich als een lam naar de slachtbank laten leiden, ook al kon hij met een vingerknip alle engelen bevelen om hem te bevrijden. De Heer was voor mij gestorven, zodat ik kon leven.'

Pas toen in de verte de stem van zijn moeder klonk, kwam hij weer in beweging; haar klank kon hij niet negeren.

'Waar was je nou toch?' Ze had hem gezocht, nu waren er al veel naar huis. Ze had bezorgd geklonken. Moest hij weer even alleen zijn? Hij hield van de glimlach die volgde. Ze had hem gemist.

Oma brak in: ze wilde hem een zoen geven en trok hem naar zich toe, kuste hem driemaal luid en vochtig. 'Je doet me steeds meer aan je vader denken. En je doet het goed op school, hoor ik. Dat is belangrijk!'

Hij zou zijn best doen. Hij mocht haar begeleiden naar de Renault; zij steunde op zijn schouder en haar stok. Het portier stond al open – een oom achter het stuur, de motor draaide al. Er was voldoende witte ruis. Moeizaam maakte ze zich op om een been in de wagen te plaatsen, maar bedacht zich, keerde zich onverwacht om en keek Clemens recht aan.

'Je gaat binnenkort naar de grote school. Wat wilde je eigenlijk worden?'

Het leek een eenvoudige vraag, heel simpel. Vincent had al van alles geroepen, van politieagent tot filmster; klasgenoten spraken over astronaut of burgemeester. Clemens had altijd zijn mond dichtgehouden, maar nu moest hij wel. Hij schraapte zijn keel, zag dat oma rustig wachtte en waagde de gok.

'Ik voel wel wat voor het priesterschap.'

Haar vriendelijk knikken hield op. Ze bleef als bevroren, trok haar been uit de auto en keek hem intens aan. Hij zag haar ogen vollopen met tranen. De hand op zijn schouder begon te knellen en te drukken – zijn linker, dezelfde kant waar Jezus het kruis mee had gedragen. Oma zette de stok tegen de carrosserie van de wagen en begon in haar tas te zoeken. Ineens had ze een portemonnee in haar hand en trok er een appelgroene flap van vijf gulden uit. Knispervers.

'Voor je studie.'

Ella Manders

Over de inhoud van die studie, zijn middelbareschooltijd, heeft Clemens me nooit uitgebreid verteld, al is het natuurlijk een vormende tijd geweest, de periode waarin hij fysiek groeide, belangrijke intellectuele kennis en vaardigheden opdeed, en zich ontwikkelde van kind tot jongvolwassene. Het deed hem weinig, lijkt me. De belangrijkste keuzes had hij al gemaakt en zijn zedelijke deugden hadden zich inmiddels ingeslepen; zoveel zou er niet meer veranderen. Gelukkig maar. Het maakt mijn taak een stuk eenvoudiger. Ik hoef alleen maar mijn ogen te sluiten en ik zie hem de twaalf kilometer naar zijn nieuwe schoolgebouw fietsen, zo hard mogelijk natuurlijk, want zo was hij. Clemens gaf altijd net te veel.

Natuurlijk zag hij op tegen de afstand, tegen het rondzeulen van een dikke boekentas van stug varkensleer, tegen het leegeten van zijn blikken lunchtrommel met boterhammen in een overvolle aula in plaats van rustig thuis, aan tafel. Op de lagere school was hij steeds meer gaan leunen op het gezelschap van Vincent, maar die had gekozen voor de lts in het dorp. Hij had geen zin in al die boeken – liet hem maar timmeren, dat was veel leuker. Clemens had geknikt en bedachtzaam uitgesproken dat hij wel naar Weert moest gaan; anders kon hij geen priester worden. Vincent had alleen maar zijn schouders opgehaald.

'Vind je het niet raar dat ik dit zeg?' had Clemens nog gevraagd.

'Ik ken je toch?' had Vincent gelachen.

Clemens was een uitstekende kandidaat voor het kleinseminarie, maar aangezien deze instituten in de jaren zestig allemaal gesloten waren, koos hij voor het best mogelijke alternatief: het Bisschoppelijk College. Ooit een internaat voor de jongste priesterstudentjes, nu een onoverzichtelijk gebouw waarvan de twee vleugels breed uitgespreid lagen over het terrein. Toegankelijk voor man en vrouw. Aan de ingang stond op een hoge zuil het verdraaide lichaam van een speerwerpende atleet; twee keer moest Clemens kijken om te ontdekken wat hij zag.

Hij parkeerde vast de opvolger van zijn communiefiets tussen de duizend anderen, volgde de borden naar de kelder van het hoofdgebouw, hing zijn jas op en ging op zwerftocht. Gangen en lokalen vol linoleum, voeten en ruggen, onbekende geuren en geluiden. Hij realiseerde zich nu pas goed hoe klein hij was voor zijn leeftijd. Als hij in de drukte stond zag hij niets meer.

Zijn introductiedag was natuurlijk gevuld met allerhande activiteiten: proefjes, quizzen, een voetbal door een gat trappen, maar ook een schrijfopdracht. In een lokaal voor Nederlands keken de auteursportretten streng op de jeugd neer, hun hoofden boven stapels met boeken. Clemens bleef er hangen, kreeg een rol behang en wat schrijfgerei in de handen gedrukt. Regel na regel schoven de centimeters papier onder zijn handen door. De tekst werd vanzelf een episch gedicht over zijn heroïsche reis naar een nieuwe school.

Naast hem stond een meisje, dat ook een rol had bemachtigd. Haar pen was afgekloven. Met een frons keek ze in zijn richting. 'Weet je waar je op beoordeeld wordt? Op de lengte van je gedicht. Waarom zouden ze ons anders op deze rollen laten schrijven? Ik heb al bijna een meter!' Ze toonde de achterkant alsof ze bang was om de woorden prijs te geven. Groene bloemetjes.

'Ik vind het leuk, dichten.'

'Ik ga winnen.' Ze boog zich naar Clemens' tekst. 'Hoeveel heb jij al?'

Hij ontrolde zijn werk en toonde het haar. 'Minder, denk ik.'

'Mooi.'

Ze glimlachte naar hem, ineens lief. Clemens keek haar verward aan. Het was alsof ze een stok in zijn voorwiel had gestoken: halsoverkop stond hij stil.

'Ik heet Clemens.'

'Ella.' Meer zei ze niet. Een glimlach en ze ging verder met haar werk, een ondiepe rimpel van concentratie tussen de wenkbrauwen. Clemens probeerde nog een paar minuten te werken, maar het ging niet meer. In zijn bewustzijn had zich een vreemd object geïntroduceerd, dat onverwacht veel ruimte innam en zijn scheppingsdrang verdreef. Een vreemd meisje had vrijwillig met hem gesproken. Had hij zelfs interesse bespeurd?

Haastig rolde hij zijn gedicht op en gaf het aan de docent.

'Dank je, jongen. Zorg dat je om drie uur in de aula bent, dan is de dagafsluiting. Misschien heb je wel een prijs gewonnen met je poëzie!'

'Dank u, meneer, maar zij heeft al veel meer geschreven dan ik.'

Met een laatste knik in haar richting – ze keek niet op – verliet Clemens het lokaal.

Zo moet het zijn gegaan. Ik weet het zeker. De eerste ontmoeting tussen Clemens en Ella, het meisje en de priester. Of beter nog: het priestertje. Zij was degene over wie Clemens later zou schrijven in zijn dagboek: 'Van alle mensen die ik in mijn leven heb leren kennen kwam Ella misschien wel het dichtst bij me. Anderen wilden zich opdringen in mijn leven, mijn hoofd en hart. Weer anderen wilde ik mezelf opdringen vanuit een religieus gemotiveerd "heilig moeten". Er lag steeds onnatuurlijkheid en dwang achter, een rationalisering van het belang van de relatie, waardoor de nabijheid geforceerd aanvoelde. Niet echt. Alleen bij Ella lag dat anders. Niets wilde ik liever dan mijn hart voor haar openen, simpelweg vertellen wat er aan duisternis school in mijn ziel, alles met haar delen, zodat ze me zou begrijpen zoals ik haar begreep, zodat we samen zouden kunnen zijn zonder enige reserve en beperking. In haar ogen zag ik hetzelfde verlangen, weet ik nu. Toen vermoedde ik het slechts.'

Op een ander moment schreef hij: 'Eerst zag ik Ella gewoon als een meisje, een begaafd en lief kind, iemand die zich als vanzelf in mijn leven introduceerde en daarin steeds belangrijker werd. Zo gaat het tussen mensen: je gaat houden van degene die je dagelijks ziet, onwillekeurig, onontkoombaar. Liefde volgt op nabijheid; het gaat niet andersom, al lijkt de wereld dit wel te geloven. Dankzij Ella leerde ik deze natuurwet kennen.'

Zover was het nog lang niet. Clemens had me verteld hoe hij na hun eerste ontmoeting opging in een gonzende, deinende massa van kleurige kinderen. De tijd vloog voorbij, tot iedereen zich ineens in de aula bevond. Hij ontdekte pas goed dat zijn oude Sint-Jozefschool een kleine, al te kleine wereld was geweest. Een docent met een gebreide stropdas stond namen voor te lezen in een microfoon en riep Clemens naar voren. Toch nog gewonnen. Op het podium bonden ze een roze ballon om de enkel van iedereen die gewonnen had, waarna de instructie kwam: 'De hoofdprijs is voor degene die zijn ballon het langst heel houdt. Je mag zelf kiezen hoe je dat doet: door anderen te ontwijken of door op hun ballonnen te trappen. Zijn jullie er klaar voor? Start!'

De eerste ballon knapte een seconde later; die van Clemens was nummer twee. Een lerares gebaarde dat hij uit de weg moest en dirigeerde hem naar de andere verliezers, die aan de rand van het podium het einde van de wedstrijd afwachtten. Gelukkig, dacht hij, het is voorbij. Voor hem zag hij de honderden gezichten van het publiek samenvloeien tot een vriendelijk veelogig en juichend wezen. Anders dan in de kerk riep en lachte iedereen hier zomaar door elkaar heen. Wat een heerlijk publiek.

Aan het einde van de dag, toen hij zijn fiets uit de chaos verloste, zag hij Ella terug. Ze stond te wachten bij de uitgang van het terrein en zwaaide; hij hield in en stopte, schoof de dunne metalen beugel van de koptelefoon van zijn oren.

'Zullen we samen rijden?'

Clemens knikte, ritste zijn jas open en haalde zijn walkman tevoorschijn. Hij drukte op STOP, zodat het bandje met Marialiedjes tot zwijgen kwam. Geleend van de pastoor.

'Of luister je liever naar je muziek?'

'Nee, nee, het zijn maar... liedjes,' zei Clemens. 'Ik vind het leuk om samen te fietsen.' Hij zei niet waar hij naar luisterde.

Sindsdien troffen ze elkaar elke morgen bij Nooitgedacht, de mooiste molen van Budel. Meestal stond Ella al te wachten. Met een korte knik en een glimlach begonnen ze aan de twaalf kilometer, fietsten door het open veld, passeerden het kleine vliegveld. Daar stond het eenmotorige toestel van dokter Sluys, waarmee hij in de zomer rondjes vloog over het dorp. Ze verbaasden zich erover dat de hoogspanningsmasten zo dichtbij stonden. Ze kwamen voorbij brede zandwegen met de sporen van tanks en ander groot materieel van de Nassau-Dietz-kazerne, zagen vaak groepen groen-zwart gevlekte soldaten voorbijmarcheren, luid zingend. 'Ze zien er akelig blij uit!' lachte Clemens dan.

'Gruwelijk vrolijk!' zei Ella.

Op school gingen ze uit elkaar; ze waren niet in dezelfde klas ingedeeld, maar troffen elkaar aan het eind van de dag.

Ella kwam uit het oude deel van het dorp, was naar een andere school gegaan en bewoog zich in andere kringen dan hij. Zij hoorde bij de Onze-Lieve-Vrouw Visitatie, hij bij de Goede Herder. Alleen in naam waren ze beiden katholiek. Haar pastoor droeg burgerkleding en was als godgewijde te herkennen aan een zilveren kruisje op de revers. Hij had een leuke en jonge huishoudster, met wie hij samenleefde alsof ze een kinderloos stel waren. Dat idee kreeg je nooit bij pastoor Van Summeren en zijn Mientje, die elk een eigen woonkamer met televisie hadden ingericht in de pastorie. Ze aten niet eens samen.

Ook de boodschap die van de kansels klonk, leek uit verschillende Bijbels te komen. Pastoor Van Summeren sprak over zonde en verlossing, bood een jaarlijkse gelegenheid tot biechten en gebruikte het Latijnse rituale uit zijn studietijd in de jaren veertig, goud op snee, om de paastakken te wijden. De pastoor van Ella sprak over naastenliefde en christelijk humanisme en vond het prima wanneer een troep jongeren zich installeerde op het priesterkoor, inclusief drumstel en elektrische gitaar. Veel popliedjes gingen toch ook over liefde? Ella vertelde dat ze zich thuis voelde in het koor, waarop Clemens knikte dat hij het begreep. Maar hij voelde zich ongemakkelijk, dacht aan de woorden van de pastoor: 'Ik krijg koppijn van die herrie. De Mis van het jongerenkoor laat ik door een assistent lezen.' Het verschil was te groot om erover te praten.

Aan het eind van de brugklas koos Ella voor het atheneum, ook al was ze welkom op het gymnasium. 'Waar heb ik dat Latijn en Grieks nou voor nodig?' had ze gelachen. Clemens had een kleur gekregen, had te weinig zijn best gedaan, dacht hij, te veel buiten gespeeld, te veel rondgefietst, tijd verspild met dromerijen. Het huiswerk uitgesteld. Bij het derde rapport had hij nog genoeg gescoord voor het gym; aan het eind waren zijn punten net te veel gedaald, en alleen de laatste slag bleek te tellen. Nog in het voorjaar had hij tegen zijn moeder geroepen: 'Ik ben geen kind meer, je hoeft me niet meer te overhoren.' Toen hij het eindrapport in handen kreeg, kon hij zich wel voor zijn kop slaan.

'De dode talen zijn tijdverspilling, zegt mijn vader.'

'Tenzij je geneeskunde gaat studeren,' zei Clemens. 'Dan is Latijn toch handig?'

'Maar niet verplicht. Je moet juist wiskunde kiezen, de exacte vakken,' zei Ella. 'Alleen voor theologie schijn je nog Grieks en Latijn nodig te hebben.'

Clemens lachte zenuwachtig; hij had haar nog niets verteld. Hij keek opzij naar haar vrolijke gezicht, naar de wind die door haar haar speelde, en glimlachte terug. Wat had hij zich eigenlijk in het hoofd gehaald?

Na de zomer kwam het nieuws dat de oude bisschop zou aftreden vanwege zijn zwakke hart, en dat zijn opvolger en naamgenoot uit het conservatieve bisdom Roermond kwam. Zo was het in Rome besloten. In het hele bisdom groeide het verzet tegen de nieuwe lijn: dekens weigerden mee te werken; ongewijde pastoraal werkers zegden hun vertrouwen op; kranten stonden vol met heftige lezersbrieven. Alleen tijdens de diensten veranderde er niets: iedere pastoor bleef bidden om zegen voor 'onze bisschop Johannes'. Als ze tenminste het missaal volgden.

Clemens bevond zich buiten de storm van de polarisatie, totdat Johannes Paulus II besloot om Nederland met een bezoek te vereren. Pauselijke visitatie. Direct sloeg het verzet over naar het hele land: er werd een comité opgericht om een progressief geluid te laten horen (de Acht Mei Beweging), een satirisch programma op nationale televisie dreef wekelijks de spot met de heilige vader (*Pisa*), de kraakbeweging zette een prijs op het hoofd van de paus (15.000 gulden). Niemand kon dit nog negeren.

Pastoor Van Summeren had een bus geregeld om zo veel mogelijk van zijn parochianen naar het vliegveld van Eindhoven te vervoeren en daarna naar Den Bosch. Het zou een belangrijke dag worden, want nog nooit had de leider van de katholieke Kerk dit landje aangedaan. 'Vraag ook maar of je vrienden misschien meewillen. Het kost niets en ik zorg voor de ranja.'

Toen Clemens het voorstelde aan Vincent, begon die lachend te zingen: 'Popie Jopie, yeah!' Na het refrein stopte hij gelukkig, maakte zelfs zijn excuses. Helaas moest hij op zaterdag voetballen.

Het kwam niet bij Clemens op om Ella te vragen om mee te gaan. Hij wist niet waarom.

Die grijze zaterdag in mei bleef de bus halfleeg en was Clemens de jongste. Zelfs zijn zus had andere dingen te doen, maar de pastoor was blij met zijn komst en drukte hem een geel-wit vlaggetje in de hand met daarop Petrus' sleutels. Anderen mochten zwaaien met TOTUS TUUS. Zonder files kwamen ze aan op het vliegveld van Eindhoven, waar met dranghekken een parcours was afgezet zoals bij de attracties van de Efteling; hier konden ze gewoon doorlopen. In de verte zagen ze een vliegtuig landen. Een witte gestalte stapte eruit en liep een korte trap af. Hij kuste haastig de grond, zwaaide naar het publiek en verdween in een gebouw.

Later zag hij hem nogmaals, in de straten van Den Bosch, vanachter een dranghek waar niets te verdringen viel. Zijn witte pausmobiel reed stapvoets; in een glazen kast stonden de twee bisschoppen als wassen beelden, de ellebogen tegen elkaar. Toen ze voorbij waren gereden, riep iemand: 'Kom mee, dan zien we ze nog een keer!' Clemens volgde de groep en dacht: wat een goed idee. Zo lijkt het alsof er toch nog veel mensen staan te kijken. Hij hoopte dat de heilige vader het niet door zou hebben.

Op school hield hij zijn mond over het pausbezoek, ook bij het vak Levo, kort voor levensbeschouwelijke vorming. De progressieve docent deed hem te veel denken aan zijn ooms van vaderskant: een beetje te bourgondisch, gelukkig getrouwd naar eigen zeggen, een religiositeit die tegelijk herkenbaar en vervreemdend werkte. Hij had de klas verteld dat hij zijn priesterschap aan de wilgen had gehangen, dankzij 'dat verdomde celibaat'. Alsof het een heldendaad was.

In Clemens' dagboek vond ik de volgende notitie: 'Niets zo treurig als een ex-priester. Het zijn net gevallen engelen. Dat wordt nooit meer iets. Dat zei mijn oude pastoor tenminste toen ik hem vertelde over mijn nieuwe leraar.'

Niettemin had de docent zijn leerlingen aangespoord om de Bijbel aan te schaffen en had hij eruit gedoceerd alsof hij een geheime boodschap wilde onthullen en verkondigen. Zo kwamen de tien plagen van Egypte overeen met wetenschappelijk onderzochte en gedocumenteerde fenomenen als een besmettelijke huidziekte, of het roodkleurig slib waardoor de Nijl eruit kon zien als bloed. Het hemels manna was niets dan de druppels hars van een woestijnplant. De Bijbelschrijver had gewoon het nieuws van vierhonderd jaar samengeveegd en er een lopend verhaal van gemaakt: een *non-fiction novel*. Ook liet hij zijn leerlingen de namen van de vijf boeken van Mozes uit het hoofd leren, in de juiste volgorde. Een enkele heiden liet hij blokken op het Onzevader. Toen de leraar vroeg wie er nog regelmatig naar de kerk ging, stak Clemens als enige zijn hand op. De docent probeerde het gegniffel van zijn klasgenoten te smoren.

Clemens leerde zich op de vlakte te houden gedurende alle jaren in het Bisschoppelijk College, droeg altijd een boek bij zich om in weg te duiken of muziek om zich af te sluiten. Vriendelijk maar afstandelijk stelde hij zich op.

Toen er in de volgende jaren steeds meer gaten in het lesrooster verschenen, eindeloze tussenuren, nam hij zijn fiets en verliet het schoolterrein. Hij reed naar het kunstmatige meer van de IJzeren Man, waar hij omheen wandelde en de watervogels observeerde, waarnam hoe de seizoenen steeds van kleur verschoten en hoe het meertje volgroeide met riet. Hij begaf zich naar de witte kapel bij het kanaal om er een kaarsje te branden en een stil tientje te bidden. Een enkele maal, bij een dubbel tussenuur, legde hij grotere afstanden af, ging de stad in om er een reep witte chocolade te kopen en rond te dwalen. Hij luisterde naar de bandjes die hij van Ella kreeg en ontdekte Herman van Veen en Frank Boeijen, en later ook Sade, Kate Bush en Prince. Hij herkende in de muziek een sensibiliteit die hem soms deed denken aan het Nieuwe Testament. Zij waren vast de 'anonieme christenen' over wie de godsdienstleraar sprak.

Ook Vincent had Clemens op een dag een zwart cassette-bandje in de hand gedrukt en gezegd: 'Dit heb je nog nooit gehoord. Heavy shit! Je moet het wel hard zetten.' Op het etiket stond aan de ene kant JUSTICE, aan de andere KILL. Hij nam het mee naar huis en hoorde voor het eerst Metallica. Een oorlog, een executie, de oudtestamentische wrake Gods, dat was het. Toen zijn zus en moeder geschokt de deur openden, draaide hij het volume naar beneden, verontschuldigde zich en beloofde het beschaafd te houden. Sindsdien genoot hij in stilte van de viscerale woede in zijn oren.

Aan het einde van hun vierde jaar had Clemens aan Ella verteld dat ze waarschijnlijk nooit meer samen zouden fietsen. Hij had zich op zachte toon verontschuldigd. Samen draaiden ze nog eens het fietspad op. De zon was krachtig, maar ze reden onder het dichte bladerdek van de kastanjes van de Kazernelaan, een levende tunnel. Ontsteek uw lichten.

'Dat wist ik toch? Dus je hebt er een gevonden?'

'Een oud model, een Batavette. *Racing green*. Eigenlijk was hij van Vincent, maar die kreeg hem niet aan de praat. Ik heb hem vijf piek gegeven; daarna heb ik het vliegwiel vervangen en de contactpunten opnieuw afgesteld. Nu start hij perfect.'

'Wel jammer...' Ze had over de velden gestaard en de wind had haar woorden weggeblazen. Clemens had haar niet aangekeken. Het werd een stille rit. Bij Nooitgedacht groetten ze elkaar zoals ze zouden blijven doen. De hand omhoog. Een glimlach. 'Houdoe.'

'Soms denk ik aan alle kansen en mogelijkheden die ik heb gekregen, die zich zomaar aandienden, maar waar ik niets mee heb gedaan. Zo weet ik bijvoorbeeld zeker dat het tussen Ella en mij iets had kunnen worden. Romantisch, bedoel ik. Ik hoorde haar zo graag praten; onze ritten vlogen voorbij alsof het niets was. Telkens weer had ze een interessant verhaal over de archetypen van Jung of de neurotische patiënten van Freud, over de poëzie van Baudelaire zelfs. Ze was een filosoof van nature; zonder enige moeite of inspanning wist ze de diepste waarheden over het bestaan aan te voelen en te verwoorden. Maar ik kreeg nooit het gevoel dat ze alleen maar slim was. Het was meer iets van wijsheid, een aardse, diepere wijsheid die ik juist miste. Ik was meer van de boeken. Dat maakte onze gesprekken ook zo interessant: als ik bijvoorbeeld voor het vak geschiedenis probeerde om de *I Tjing* te verzoenen met de leer van de Kerk, dan trok zij me naar beneden, op vaste grond. Dan noemde ze de naam van Franciscus Xaverius, vertelde over de mislukte bekering van China waarover ze had gehoord. "Rome staat het nooit toe!" riep ze dan. Op die momenten zweeg ik natuurlijk, waarna ze tactvol overschakelde op iets anders. Soms riep ze gewoon een zet: "c2-c4", dan waren we ineens blind aan het schaken. Het waren prachtige ritten.'

Op dezelfde plaats in het dagboek zie ik de foto van een jonge vrouw, zestien of misschien zeventien jaar oud. Niet echt een meisje meer. Ze kijkt zelfbewust in de camera, haar hoofd licht geknikt, een glimlach om haar lippen die aarzelt tussen lief en geamuseerd. Intelligent. Als dit Ella was, dan begrijp ik Clemens' fascinatie heel wat beter.

Een vrolijke kermis

Iedere priester heeft een verhaal. Niet altijd zal hij het aan de grote klok hangen, hij weet wel beter. De wereld draait niet om hem, maar om de ander, om de Heer die Zijn genadewerk voltrekt aan de lijdende mensheid. Dit is de reden waarom zo veel priesters een koele, afstandelijke indruk maken, in een land lijken te wonen waar emotie bijkomstig en warmte altijd pastoraal is. Verwar dit niet met gebrek aan betrokkenheid of met onvermogen; er ligt een bewuste keuze achter deze instelling, die vervolgens door jarenlange vorming een tweede natuur is geworden. Priesters vallen samen met hun functie, zoals een politieagent met de wet, een journalist met het nieuws, een artiest met de muze. Ook priesters zijn slechts een werktuig.

Sinds de *Confessiones* van Sint-Augustinus is de enige legitieme uitzondering hierop het roepingsverhaal: de vertelling van het moment waarop een zwakke man de goddelijke hand op zijn schouder voelt tikken. Hij kijkt om. Hij keert zich om. Hij verandert zijn leven. Hij verneemt niet alleen de stem van de Heer, maar geeft er ook een hoogstpersoonlijk antwoord op. Hij kiest definitief tegen het duister en voor het licht; romantischer zal zijn relatie met de levende Heer niet worden.

Mijn eigen roepingsverhaal heb ik in de loop van de jaren

langzaam ontmythologiseerd tot een eenvoudige vlucht. Geboren in een veel te groot katholiek gezin, op mijn twaalfde weggestuurd naar een jongensinternaat, werd ik huiverig voor de wilde wereld en viel ik voor de verleiding van een rustig leven achter de muren. Ik besef dat mijn keuze meer een kwestie van gemak dan van moed is geweest, anders dan bij Clemens. Herhaaldelijk heeft hij me in detail verteld over zijn moment van keuze. De gekuiste versie heb ik hem horen uitspreken op zogenoemde 'roepingendagen', waarop geïnteresseerden meelopen met de priesterstudenten in het seminarie om te zien of het gewijde leven iets voor hen zou zijn. In die tijd werd Clemens nog ingezet voor promotie van de goede zaak.

Het eerste deel van zijn roepingsverhaal speelt op de zaterdag van de kermis in Budel in 1990, een week voordat hij definitief naar het seminarie zou gaan. Hij was thuisgekomen van zijn bijbaantje als glazenwasser en had zijn moeder uit het keukenraam zien staren alsof ze hem had opgewacht vanaf het moment dat hij was gaan werken. Hij vond dat ze er triest uitzag. Hij had de oude theedoek die hij de hele zaterdag had gebruikt om de hoeken droog te wrijven uit zijn achterzak getrokken en ermee gezwaaid. Ze was naar buiten gelopen, had hem stevig omarmd en door zijn iets te lange haar gestreeld. Ze had gevraagd hoe het was gegaan, of hij moe was, zin had in koffie. Clemens had zwijgend geknikt.

Ze hadden plaatsgenomen op de donkerbruine bank, waarvan de kussens in de loop der jaren kuiltjes hadden gekregen. Een warm nest. Clemens' ene hand sloot om de hete mok, zijn andere ging de koektrommel in en uit.

Zijn moeder had ernaar gestaard en verteld en verteld, steeds meer en sneller. Het vertrouwde patroon. Hij constateerde weer eens dat haar stem en haar mond haar tot rust brachten, soms door te eten of te drinken, een enkele keer in gebed, maar meestal door te praten. Ze sprak over vriendinnen in het dorp, over de laatste problemen in de familie, over de aanbiedingen die ze met veel geluk had kunnen bemachtigen voor ze uitverkocht waren, over de vele taken die een ijverige huisvrouw elke dag had te volbrengen. Gebabbel. Dan vroeg ze om zijn hulp, waarop hij met een laatste flinke slok en een knik overeind was gekomen en had gezegd: 'Goed hoor. Dan moet u wel eerst de vensterbank vrijmaken, ik moet door kunnen werken.'

'Je blijft maar u zeggen,' had ze zacht uitgesproken.

'U bent toch mijn moeder? Het is een kwestie van respect,' had hij geantwoord, waarop hij aan de slag was gegaan.

Het was een goede dag geweest. Niet van de ladder gevallen, niet met een voet in de emmer gestapt, geen problemen met het afrekenen aan de deur, niet beschaamd hoeven vragen of hij even naar het toilet mocht. Hij had zelfs een interessante motorfiets te koop zien staan, een tweecilinder Honda. '*Wollst du es kaufen?*' had de eigenaar gevraagd. Als de man er niet te veel voor vroeg zou niets hem tegenhouden.

Later, thuis in de kleine badkamer op de eerste verdieping, had hij de kraan opengedraaid en zich uitgekleed. Zijn klamme goed schopte hij in de hoek op een hoop. De bladmotieven op de mokkabruine tegeltjes leken op taartjes, de wc hurkte laag alsof hij zelf moest poepen. De ronde spiegel boven de wastafel begon te beslaan, maar hij kon zichzelf nog net zien. Vluchtig gleden zijn ogen over zijn huid, van zijn kin via zijn nek naar zijn knokige schouders. Niet echt indrukwekkend. Jongetje. Met zijn hand volgde hij zijn blik, raakte zacht zijn borst aan. Voordat deze verder naar beneden schoof, controleerde hij nog een keer het slot; hij had nooit begrepen waarom jongens zich door hun moeder zouden laten betrappen.

Wat er toen gebeurde mag geen naam hebben. Niemand had

er last van en het duurde maar even. Het was even natuurlijk als ademen, onvermijdelijk als lucht in je longen. Maar ook een zonde, tegen het zesde gebod, en dus een terugkerend punt in zijn jaarlijkse paasbiecht.

Soms deed hij het achter zijn bureau, waar een geïllustreerde versie van de Heilige Schrift openlag. Die duwde hij dan eerst opzij, om ruimte te maken voor een van de boeken die hij ooit boven op de kledingkast van zijn ouders had gevonden, aan de kant van zijn vader. *Fanny Hill*, Markies de Sade, *Een roos van vlees* van Jan Wolkers. Zo diep was hij gezonken.

In de tweede akte van zijn roepingsverhaal liepen Clemens en Vincent over de rommelige kermis van het dorp. Tegen de avond was deze volgelopen met klanten, betoverd door de rode lichten, het flitsend goud, de grote kansen op klein geluk bij de grijpmachines. Vincent bleef plakken bij de botsauto's, Clemens nam hem mee naar de rups, natuurlijk niet voor het zeil over de karretjes, maar voor het razende bochtenwerk, de centrifugale krachten die hem deden denken aan een motorrit. En voor de kwast die recht gaf op een gratis ritje, wat alleen lukte als de exploitant je zag zitten. Samen slenterden ze het hele centrum door.

Ik veronderstel dat hij meer dan anders bij het uitgaan een gevoel van spanning in zijn borst had gedragen, een elektrische draad van schouder naar schouder, het vaste besef dat hij niet op zijn plek was te midden van zo veel dampende, juichende, lachende mensenlijven. Dit gevoel moet nog toegenomen zijn toen Vincent doorkreeg dat het Clemens' laatste weekend was voordat hij op het seminarie zou beginnen. Vincent had gelachen dat het zijn vrijgezellenfeest was, waarop Clemens heftig had geprotesteerd.

'Wat jij wilt, beste vriend,' riep Vincent, 'maar we gaan toch naar de discotheek, later. Dat hoort erbij.'

Clemens had afwezig geknikt, zijn blik omhoog laten klimmen, langs de cirkel van het reuzenrad, en toen weer naar beneden. Daar, in de wachtende rij, tussen haar rumoerige vriendinnen, zag hij Ella.

Ze lachte naar hem, zoals ze steeds had gedaan wanneer ze elkaar zagen in de afgelopen zomermaanden. Vaker dan anders, leek het wel.

Hij stak zijn hand op en keek direct weg toen zij het gebaar beantwoordde.

Vincent had hem een duw gegeven: 'Ga toch met haar praten, Clem. Wat is daar nou op tegen? Ze is toch een vriendin van je?'

Clemens schudde zijn hoofd, bang dat elk woord de eerste stap op een hellend vlak zou zijn. Waar ging het eindigen? Hoe moest het dan met zijn onthouding? Hij draaide zich om, duwde de opgeschoten gestalte van Vincent voor zich uit, weg van het rad. Met een groet had hij nog niets verkeerd gedaan.

Langzaam verliep de tijd, tot de deuren van de Donkey opengingen. 'Passende naam,' had pastoor Van Summeren hem eens gezegd, 'kijk maar naar het publiek.' Ze kregen er een onzichtbare stempel op de rug van hun hand en begaven zich in het donkere gat van gezelligheid: jongens stonden er bier te drinken tot ze amper nog konden lopen; de meiden dansten op een kluitje. Veel fysiek contact tussen de seksen was er niet, meende Clemens. Dat bleef voorbehouden aan de stelletjes, die een traag nummer aan het einde van de avond niet konden weerstaan. '*Je t'aime,*' fluisterden de luidsprekers dan.

Zo lang hield Clemens het meestal niet uit. Terwijl hij zijn glazen dronk en de sigarettenrook van anderen inhaleerde groeide het gevoel dat de muziek hem tot op het bot en in zijn diepste organen in bezit wilde nemen. Op het moment dat zijn verwarring zo groot was geworden dat hij dacht zelfs zijn ei-

71

gen naam te vergeten, zocht hij de ogen van Vincent en maakte een gebaar alsof hij zijn keel doorsneed. Daarna drong hij naar buiten om een stoeprand op te zoeken, bij voorkeur net buiten de lichtcirkel van een lantaarnpaal. Met zijn voeten in de goot kwam hij tot zichzelf, hoorde de vertrouwde fluittoon in zijn brein en probeerde alle indrukken van de avond op te slaan in zijn doorweekte geheugen. Het spijkerrokje van een meisje, de gretige blik van een jongen, een rij borrelglaasjes Apfelkorn op de bar. Hij staarde minutenlang naar de vingers van zijn rechterhand, hield ze voor zijn ogen en stelde zich voor dat het tralies waren, zocht naar de Poolster in de zwarte hemel.

Het kwam voor dat hij terugkeerde in het gewoel, maar meestal ging hij naar de friettent voor een kaassoufflé. Wanneer hij zijn tong brandde wist hij dat hij genoeg had gedronken; dan mocht hij naar huis. Hij had zijn eigen rituelen ontwikkeld om de nacht te overleven.

Gebeden waren daar niet bij. Het leek alsof de alcohol en de muziek ook zijn geloof uitdreven, zijn kalme vastberadenheid. De rozenkrans bleef in de leren knip in zijn broekzak.

Clemens had aan Ella gedacht, aan haar lichaam meer dan aan hun vriendschap. In gedachten zag hij haar door koperen krullen omlijste gezicht draaien, naar hem toe – een glimlach, haar slanke hand ging omhoog. Ze zwaaide, liep in zijn richting, raakte hem aan, trok hem met beide handen tegen haar lijf. Hij kon haar ruiken. Ze opende haar mond, bracht die dicht bij zijn wangen, wilde hem kussen. De beweging duurde eindeloos.

Toen liet hij het beeld los. In zijn hoofd klonk een stem, die hem kalm duidelijk maakte dat hij verliefd was en dat hij dat maar beter kon erkennen ook. Ja, ik ben verliefd. Het was een feit, meer niet. Meteen dacht hij: maar je bent ook geroepen. God wil dat je Zijn priester wordt. De bisschop zegt het zelf, want hij heeft je geaccepteerd als priesterstudent, je roeping erkend. Ook dat is een feit. Ja, dat is zo. Hij ademde diep in, verrast door de helderheid in zijn hoofd. Geen spoor van verdoving meer, of van verwarring. Hij besloot dat het geen zin had om te vechten tegen de feiten en accepteerde ze zonder enige moeite. Het is zo. Ik weet wat ik moet doen. Kalm ineens was hij opgestaan van de stoeprand en had hij zich uitgerekt, de spieren van zijn armen en schouders losgeschud, zich gevoeld alsof hij veel te lang een veel te zware kruiwagen had rondgesjouwd. Met verende tred was hij naar huis gelopen.

De dag na zijn bevrijding was er geen sprake van uitslapen, maar kreeg hij bevestiging op bevestiging dat zijn keuze de goede was geweest. Zo gaat het in roepingsverhalen. Voor het laatst speelde hij zijn rol als acoliet van de Goede Herder. De dienst waarin de pastoor voorging was in alles vertrouwd, al leek het alsof het aantal aanwezigen aan het einde van de vakantie weer een beetje was afgenomen.

De pastoor had een preek voorbereid die direct op Clemens sloeg, zo leek het in elk geval. Het evangeliewoord dat hij aanhaalde was dat van de rijke jongeling die aan Christus vroeg wat hij nog meer zou kunnen doen.

'Ga en verkoop alles wat je bezit; kom dan terug om mij te volgen.' Het was de Bijbeltekst die Franciscus had gebracht tot zijn huwelijk met vrouwe Armoede, tot het afwijzen van de rijkdom van zijn vader de lakenkoopman. Terwijl pastoor Van Summeren het overbekende verhaal nog eens uitlegde, dacht Clemens aan de innerlijke kalmte die hij sinds de afgelopen nacht had ervaren. Hij had zich eindelijk met zijn hele hart weggeschonken, er net als de heiligen voor gekozen om de smalle weg te gaan. Voor hem geen gezin, geen leven als een maatschappelijk cliché. Die valstrik had hij tenminste vermeden. En was Jezus zelf niet deze weg gegaan?

73

Aan het einde van de dienst van het Woord bleek er een collectant te weinig te zijn, zodat hij zelf maar rondging met de ondiepe rieten mand, waar iedereen zijn kwartje in legde. Een enkeling wisselde een gulden of een rijksdaalder. Hij plaatste de offergaven aan de voet van het altaar en was voor het laatst goed voor de omzet.

Na afloop van de dienst kwam pastoor Van Summeren breed glimlachend naar hem toe en bedankte hem voor zo veel jaren misdienen. Hij had een klein cadeautje voor hem. Een rafeltje van de toog van de pastoor van Ars, geseald in plastic. Met certificaat van authenticiteit.

'Ik hoop dat je net zo'n vrome pastoor zult worden,' zei hij, 'al mag je wat minder streng zijn. En laat je door alle theologie die je gaat bestuderen niet van de wijs brengen. Het gaat niet om wat je allemaal weet, maar om je devotie. Vergeet nooit je rozenkrans.'

De pastoor zag er pafferig uit en had zich bij het scheren gesneden, zag Clemens nu. Een gestolde druppel klampte zich vast aan zijn hals. Hij haalde een zakdoek uit de plooien van zijn kleed en wiste zijn gezicht af. Ook Mientje kwam een hand geven.

Thuis had zijn moeder een luxe brunch voorbereid met wentelteefjes naar het oude recept van de familie Driessen, met zachtgekookte eitjes en het feestservies. Angelena had een cake gebakken, maar die was bestemd voor de middagkoffie. Het huis rook heerlijk.

'Ik heb me toch een honger!'

'Dat komt ervan als je nuchter blijft voor de Mis,' lachte Angelena. 'Maar mag je meteen daarna wel eten? Dan heb je toch ook nog de hostie in je buik?'

'Die verteert heel snel, eigenlijk al in je mond,' zei Clemens.

'Geen probleem dus. Ik ben er helemaal klaar voor!'

'Vincent heeft nog gebeld,' sprak zijn moeder vanuit de keuken. 'Hij was je gisteravond ineens kwijt. Een beetje bezorgd klonk hij wel.'

'Alles is goed. Komt u ook zitten?' Met nadruk sprak Clemens het tafelgebed uit, niet snel of onnadenkend. Hij vulde de bekende woorden met zijn aandacht. De rest volgde vanzelf. Dat wist hij zeker.

Iedereen geroepen

Niet lang daarna hees Clemens zich in een donkerbruin motorpak. Het was nog van zijn vader geweest, en zonder flitsende kleuren of lijnen. Hij beschouwde zichzelf als een stoere rijder die niet deed aan luxe plezierritjes in de zon; hij had een helm gekocht met een dubbel vizier om ook in de herfst en winter vooruit te kunnen zonder dat het zou beslaan. Hij zou bikkelen. Tijd voor het echte werk.

'Kijk je wel uit?' had zijn moeder gevraagd.

'Ja, ma.' Hij wreef even flink met zijn handschoen over het hoofd van zijn zus.

'En jij ook, hè?' Ze leken wel bezorgd, en hij haalde de band van zijn helm wat strakker aan.

Een jaar eerder had hij de weg naar de bisschopsstad geëffend, tijdens een vormselviering in de Goede Herder. De bisschop was zelf gekomen voor een minder prettig aspect van de vrome last die rustte op de schouders van iedere plaatselijke ordinaris. Soms droeg deze hem weer over aan de pastoor zelf of aan een medewerker, een spirituaal van het seminarie bijvoorbeeld. Broederlijke bijstand verlenen, heette het, bij de laatste stap van de katholieke initiatie. In de praktijk kwam het neer op een lange rij puistige kinderkoppen, waar je met de heiligste olie een kruisje op maakte, maar die je nooit meer terugzag. Gratuite gratie.

Vóór de hervorming van de liturgie in de jaren zestig kende het vormsel tenminste nog een ironisch element; toen gaf de gemijterde – vervangers waren niet toegestaan – de jeugd een ferme tik op de wang. Hij mocht ze wakker schudden, liet ze voelen wie de baas was. Ik noem dat tegenwoordig de verloren wijsheid van Trente.

Als eerste acoliet was Clemens de aanvoerder van de kleine processie waarmee de bisschop de gewijde ruimte zou binnentreden. Hij gaf het ritme aan, droeg het zwaaiende wierookvat met zich mee; het kruis en de kaarsen volgden. Getrouw richtte men zich naar de roodgedrukte regieaanwijzingen in het episcopale en sprak men de zwartgedrukte woorden uit. Alleen de preek kwam van een los blaadje. Pas toen het gewijde spel een uur later voorbij was, bleek bisschop Ter Schure ook te kunnen glimlachen.

'Clemens hier heeft nog een vraag voor u!' Zonder aarzelen had de pastoor zijn acoliet naar voren geschoven. Deze verwoordde zijn interesse voor het priesterschap. Het voelde nog steeds kwetsbaar en hij sprak met zachte stem. Die van de bisschop klonk luid en vrolijk. Wie priester wilde worden, moest bij hem zijn! Hij moest alleen maar aan de voorwaarden voldoen.

Clemens wilde weten welke dat waren.

'Je moet een man zijn.' Clemens knikte.

'En je moet gedoopt zijn.' Hij knikte nog eens.

Toen lachte de bisschop pas echt. Hij gaf Clemens het nummer van rector Donders van het seminarie. Daarna gaf hij Clemens een hand, die hij met zijn linkerhand omsloot. Dat had hij nog bij niemand anders gedaan.

Over zijn eerste rit naar Den Bosch, door het Brabantse achterland, schreef Clemens geen episch gedicht, zoals eerder over zijn tocht naar het Bisschoppelijk College. Hij vertelde me niets over zijn emoties bij de aanblik van de skyline van de oude stad: de verdedigingswal, de Sint-Cathrien, het vierkante blok van het theater aan de Parade. Toch moet het wel indrukwekkend zijn geweest; zoveel was hij niet gewend in zijn grensdorp. Ik neem aan dat hij langzaam langs de kathedraal pruttelde, want de gladde kinderkopjes lieten niet anders toe. Via de Choorstraat reed hij de Papenhulst in, stopte voor zijn nieuwe thuis en observeerde het koperen bord met de glanzende letters SINT-JANSCENTRUM. Het degelijke kloostergebouw dateerde uit de jaren dertig en beleefde een tweede jeugd.

Zoals alle nieuwe kandidaten reed hij tot voor het bordes, parkeerde tijdelijk zijn vervoermiddel in de nauwe straat en belde aan. Een nieuw gezicht verscheen in het raam aan de zijkant, keurig omkaderd in de stoffen lijst van een hoofddoek. De gastenzuster. Vluchtig controleerde ze zijn naam op een lijst, reikte hem een sleutel voor de toegang tot de parkeerplaats en haastte zich weer naar de telefoon. Altijd druk. Via een hoge poort die breed openklapte kwam hij in de tuin, waar hij tussen de populieren en uitgebloeide magnolia's een parkeerplaats vond. Ik hoorde hem voordat ik hem zag. Hij trok zijn helm van zijn hoofd en liet zijn blik gaan over de symmetrische tuin vol taxusbollen en buxushagen, de enkele kastanje. Een oude bomenlaan, die voerde naar de Lourdes-grot; daarachter stroomde de Dieze. Hij stoorde zich vast niet aan het goedkope plastic van het tuinmeubilair.

Hij glimlachte.

Ik zag hem vanuit de serre, die onder de kapel lag en diep de tuin in stak: een hoge, helverlichte ruimte met grote kannen koffie en blikken vol koekjes. Hotelporselein. Er stond een kleine televisie in een zijkamer, een piano; de rookstoelen vormden een halve kring. In die tijd dienden ze hun doel nog, ook binnenshuis. Clemens zag me kijken en liep in mijn richting. Onze eerste ontmoeting.

Niets bijzonders. Als spiritueel van de instelling – sommige studenten noemden me ook wel de gestichtstherapeut – probeerde ik iedere nieuwe student zo snel mogelijk te begroeten, op zijn gemak te stellen, welkom te heten. Ik stelde me voor, schudde zijn koude hand en bood aan om zijn helm over te nemen, wat hij afwees. Afgezien van zijn jeugd was hij een normale motorrijder.

'Eerst moet ik deze sleutel terugbrengen. Dat vroeg de zuster.'

'Ik loop met je mee. Dan krijg je ook je eigen sleutel en wijs ik je je kamer. Je zult hier nog wel een tijdje blijven!'

'Hoeveel studenten hebben zich eigenlijk aangemeld voor het eerste jaar?'

'Nog elf anderen. Jullie zijn net de apostelen.'

'Als er maar geen Judas bij zit!' Onverwacht scherp klonk het, maar toch moest ik lachen. Altijd een veilige reactie. Ik ging hem voor naar de kapel, wees op de nieuwe kamers die in aanbouw waren, sprak over extra toiletten die zouden komen, over brandveiligheid. Clemens volgde mij door de betegelde gang via een smalle zijtrap naar de centrale hal, waar een donker beeld stond met een enkele gepolijste kant. Zoals altijd stopte ik daar, legde mijn rechterhand erop en wees met de andere.

'Ziehier de Mozes van pater Mathot.'

Langzaam gingen Clemens' ogen over de gedaante in lange doeken die zich schrap zette in een bulderende storm.

'Ik zie het niet. Had hij niet de tien geboden ontvangen in de Sinaï?'

'Zeker, maar eerst was hij geroepen. Net als iedereen hier. Terwijl hij in de wildernis zijn schapen hoedde, zag hij een doornstruik die in lichterlaaie stond, maar toch niet verbrandde. Je kent het verhaal. Hij wilde het vreemde fenomeen onderzoeken, maar hoorde de stem van God: "Doe je sandalen uit, want je staat op heilige grond."'

In stilte keek Clemens naar het bronzen beeld. Ik had geen idee wat er in hem omging. Pas nu, zoveel jaren later, heb ik in zijn dagboek gevonden wat hij ervan dacht: 'Wat een ontzagwekkend beeld in de hal. Op het eerste gezicht een nutteloze, overgrote boekensteun, op het tweede een man die op zijn knieën wordt gedwongen door het Woord. Mozes ziet het gelaat van de Heer, maar geen grillige struik die al dan niet in brand staat, geen menselijke interpretatie van het goddelijke, slechts de lege ruimte van het naakte geloof. Het Niets.'

Later die avond sprak ik hem weer in het souterrain van het hoofdgebouw, een ruimte die was volgestouwd met het meubilair van pakweg vijf geërfde grootouderinterieurs. Een bonte mengeling van lichtbruine en donkereiken meubels, verweerde salontafels, donkergroene stoffering, een enkele driezitsbank. Maar vooral celibataire eenzitters, zwarte kunstleren zetels uit de jaren zeventig. Het was de perfecte omgeving voor het nuttigen van wijn en sigaar, of ook voor hun ordinaire broeders sigaret en pils. Om acht uur trok de rector de flessen open voor de verplichte recreatie.

De nieuwe eerstejaars liepen onwennig door de ruimte, schuifelden tussen de stoelen door naar een veilige plek. Clemens vond er een met goed uitzicht over het geheel en maakte zich op voor de rol van toeschouwer.

'Wat vond je van de eerste dag?' Hij had een plaats in mijn buurt gekozen, maar niet direct naast me.

'O, goed hoor. Maar het gebed in de kapel was best verwarrend. Ik begrijp nog niet veel van het getijdenboek.' Hij glimlachte verontschuldigend.

'Je zult het wel leren. En je kunt natuurlijk altijd een ouderejaars om hulp vragen. Beschouw ze maar als je mentoren. Om tien uur sluiten we de avond af met gebed in de kapel. De completen.'

'Waar moeten we de hele avond over praten?'

'Over wat je wilt, jongen. Het gaat erom dat je niet alleen bezig bent met studie en gebed, maar dat je ook je menselijke kant tot ontwikkeling brengt. Het seminarie is niet bedoeld om wereldvreemde priesters af te leveren. Daarom zitten we ook midden in de stad en niet in een of ander afgelegen klooster, zoals in Rolduc. We moeten aansluiting vinden bij de moderne maatschappij, dat vond Johannes xxiii al. We moeten ons niet van de wereld afkeren, maar ons ermee inlaten, zodat we haar ten goede kunnen veranderen.'

'Ik was al bang dat het alleen maar om gezelligheid en drinken ging, om nutteloos geklets zoals op televisie.'

'Als het goed is groeit je roeping tot priester in de veilige kweekbak van het seminarie uit tot een sterke boom, net als bij het mosterdzaadje.'

We werden onderbroken door een invasie van ouderejaars, allemaal mensen die beantwoordden aan de minimale eisen voor priesterschap. Hun gemiddelde leeftijd was begin dertig, hun bmi lag rond de vijfentwintig, hun vooropleidingen liepen uiteen van mbo tot universiteit. Ze zagen er keurig uit. Clemens maakte kennis met voormalig militairen, een elektricien, een tuinman en een eerste stuurman van de grote vaart. Hij leerde een student medicijnen kennen, verscheidene juristen, een groep Belgen die zich onder het bewind van aartsbisschop Danneels niet prettig voelden en dus waren geëmigreerd naar conservatiever oorden. De populatie was overwegend blank, al klonk de roepstem van de Heer ook in enkele van oorsprong Molukse en Vietnamese oren. Clemens stelde zich niet selectief op en dacht van iedereen wel iets te kunnen leren of opsteken. Hij beschouwde zijn medestudenten als een grote vriendengroep.

Wie tijdens die eerste avond vooral opviel was Pim Poldermans, een welvarende priesterstudent in zijn laatste studiejaar, gekleed in een glimmende polyester pantalon en een lamswollen spencer. Hij plofte met een hoorbare zucht neer, alsof zijn honderddertig kilo slechts uit wind bestond. Met een mouw wiste hij het zweet van zijn voorhoofd, om met verrassend hoge stem in te breken alsof hij terugkwam op een eerder gesprek.

'Maar het echte probleem ligt natuurlijk elders. Zo is onze bisschop niet consequent in zijn liturgiebeleid. Hij staat toe dat tachtig procent van de priesters het niet zo nauw neemt met de kerkelijke regels. Je raadt nooit wat ze tegenwoordig bij huwelijken zingen: "*I don't know how to love him.*" Dat lijkt wel romantisch, maar het is het lied van een hoer die zegt dat ze zo veel mannen heeft gehad en nu seksuele gevoelens heeft voor Jezus. Maar vrouwen moeten als maagd het huwelijk in! Het is niet minder dan heiligschennis, die hele *Jesus Christ Superstar.* Ze maken een politiek activist van onze Verlosser. Met episcopale goedkeuring.'

Een student met tanden die wel een beugel konden gebruiken, begon te lachen en riep: 'Je overdrijft!'

Pim beschouwde het als een stimulans: 'Het is een gebrek aan ruggengraat! En ik kan precies vertellen waarom hij niet optreedt. Als je eenmaal priester bent, dan zit je gebeiteld. Dan heb je voor de rest van je leven recht op woonruimte en een salaris, of je nu werkt of niet. Het bisdom is verplicht voor je te zorgen. Waar kun je nog zo veel zekerheid vinden? Daarom verandert er niets in de Kerk en houdt iedereen elkaar de hand boven het hoofd. Priesters komen elkaar een leven lang tegen. Eigenlijk trouwen ze niet met God, maar met zijn Kerk op aarde, met alle andere priesters. En sommigen nemen dit letterlijk!'

Hij begon een verhaal over een priester die te lang bij een collega was blijven plakken, waarna hij enigszins aangeschoten een auto-ongeluk had veroorzaakt. De rechter had hem een taakstraf gegeven, 'wegens bijzondere omstandigheden'.

In de loop van de honderden verplichte recreaties in het seminarie zou Clemens de meest schokkende kerkelijke roddels horen die er maar te bedenken zijn. Docenten, medestudenten, priesters, bisschoppen, religieuzen – geen enkele categorie was uitgesloten van de vorsende aandacht van de studenten. Op de recreatie kwam alles voor het eerst aan het licht, na verloop van tijd meestal gevolgd door een nieuwe schandaalmelding in de krant. Enkele jaren liep het seminarie voor op de wereld. Niet dat Clemens die eerste keer al de volledige lading te verteren kreeg. Hij verontschuldigde zich rond halftien.

'Zo, weer eentje die denkt dat hij in de Karmel is ingetreden! Ik ben benieuwd hoe lang hij dat volhoudt,' riep Pim hem na.

Er klonk gelach.

Clemens was diezelfde avond aanwezig bij de vrijwillige completen. De kapel werd subtiel aangelicht. Romaanse rondingen waren nog net zichtbaar boven het zeegroene tapijt, een enkele kaars flakkerde bij het Mariabeeld. De gouden accenten op het altaar blonken bescheiden. Even bevond hij zich in een middeleeuwse volkskerk. Achter in het getijdenboek vond hij de dagsluiting bij het paarse leeslint.

'God, kom mij te hulp. Heer, haast U mij te helpen.' Met die eerste zin gleed Clemens moeiteloos in de openingshymne, de eenvoudige psalm, het kleine stukje Schriftlezing. Hij kon het al snel dromen. Iedereen had zijn eigen plaats in de houten, strak gelakte banken, op geruime afstand van elkaar; het boek verbond. Op het eind gingen alle lichten uit voor het slotlied, behalve de spot op de Maagd.

'Salve Regina,' zong Clemens tot de Koningin, de moeder van barmhartigheid, zijn enige hoop; tot haar richtte hij zijn hele hart; zijn leven en zijn vreugde was zij, de matriarch van een gelukkig nageslacht. Hij, door Eva uit het paradijs verdreven, smeekte en zuchtte tot haar betere zuster. Met elke uithaal van de melodie besefte hij op de juiste plaats te zijn beland, aan de voeten van de voorspreekster, degene die hem Jezus zou tonen. In de slotzin klonk zelfs zijn voornaam.

Na de laatste toon zakte de kapel weg in de stilte die hij herkende van de dagsluitingen van de misdienaarskampen. Hij wist dat de anderen een voor een zouden verdwijnen en dat hij alleen bij Maria achter zou blijven. Hij dacht niet aan hen. Als in een kloof naar het warme hart van moeder Aarde verdween hij, in het volle besef dat zijn eenzame rozenkransen geen hobby waren geweest, geen zelfgenoegzaam babbelen. Net als tijdens de kampen voelde hij zich gedragen door eeuwen en eeuwen van godsvrucht en devotie. Het universum vloeide samen in zijn lijf, zijn hart en nieren, terwijl hij knielde aan de voeten van het beeld, op de grond waar hij thuishoorde. Gedragen, gezien, geliefd.

Ik was bij hem gebleven, tot hij overeind kwam. Daarna hield ik de kapeldeur naar de centrale hal voor hem open, terwijl ik de spot uitknipte. We hoorden rumoer in het souterrain, klanken die we moeilijk konden thuisbrengen. Een andere wereld.

'Halen! Halen! Halen!' Het klonk als een voetbalstadion vol

boeren. De deuren voor het Mozesbeeld klapten open en daar verscheen Pim, met in beide handen een plastic tas waar met grote letters SINT-JANNEKE CAFETARIA op stond. De geur van friet werd waarneembaar.

'Dit is pas recreëren! Kom ook, er is genoeg voor iedereen.'

Clemens boog zijn hoofd en schraapte zijn keel. Hij aarzelde met antwoorden, leek de gewijde rust niet te willen verbreken. Maar dat zou onbeleefd zijn.

'Nee, dank je,' zei hij zacht, en hij verdween naar boven.

Verslagen

Zijn eerste tijd bij ons heeft hij als een verademing ervaren. Opgewekt vertelde hij aan tafel en in de wandelgangen welke vondsten hij deed in de bibliotheek, welke vakken hem bevielen, over welke heilige hij nu weer nadacht. Hij wist dat de deur van een spirituaal altijd openstaat en profiteerde ten volle van de informele cultuur in het Brabantse seminarie. Toen ik hem eens vroeg hoe lang het was geleden dat hij de stem van zijn moeder had gehoord, ging hij haar direct bellen.

'O, ma, het is heerlijk hier. Eindelijk bestudeer ik alles waar ik zo nieuwsgierig naar was, de geschiedenis van de Kerk, de Heilige Schrift. En ik krijg ook gewone vakken als muziek en psychologie.' Hij gebruikte de munttelefoon van het centrum, waar hij meteen een rijksdaalder in had gedaan. Het geluid van een orgel klonk op de achtergrond: een cantor oefende voor de vespers. Het was zijn eerste weekend in Den Bosch, we vierden Maria-Geboorte. Op onze jaarplanning stond: 'Allen Thuis.'

Zijn moeder had vast gelachen toen hij over de muzieklessen was begonnen: 'Moet jij zingen? Alleen?'

Clemens lachte hartelijk mee. Hij wist dat hij geen wijs kon houden, dat zijn medestudenten regelmatig zijn kant op keken met een frons, maar in elk geval zong hij consequent een halve noot te laag. Pas na een halfjaar zangles zou hij erin slagen om grotendeels op toon te blijven.

'Precies als je vader,' voegde zijn moeder eraan toe, waarna ze had verklapt dat hij niet zonder reden bij elke verjaardag mondharmonica speelde. Hierop vertelde Clemens dat hij ook van plan was om een instrument te leren bespelen, dat hij zelfs al met mij had gesproken over de viool. Ik vond het belangrijk dat de studenten zich ook cultureel ontwikkelden, maar vond hem eigenlijk te oud om met een nieuw instrument te beginnen. Hoe jonger, hoe beter.

Daarna was de toon van het gesprek omgeslagen en had zijn moeder met bezorgde stem gevraagd of Clemens hen eigenlijk wel miste. Ze hadden al een tijd niets van hem gehoord. Hij antwoordde niet eens op de brieven van zijn zus die ze bijna wekelijks naar hem verstuurde.

'Natuurlijk mis ik jullie,' had hij gezegd. 'Heel erg.'

De waarheid was dat Clemens volledig opging in zijn nieuwe, prikkelrijke omgeving. Hij was eindelijk de student die hij op de middelbare school niet had hoeven, misschien zelfs niet had kunnen zijn. In dit huis heerste geen zesjescultuur, maar het wonder van interne motivatie.

'En hoe is het eten?'

'Niet half zo lekker als thuis. De aardappelen en de groenten zijn altijd kapotgekookt.'

Dat hoorde ze graag. In werkelijkheid was het eten in het seminarie helemaal niet slecht. De keuken was ondergebracht in een bijgebouw en stond vol met professionele apparaten. Er kon voor zeker honderd man gekookt worden. Hij vertelde zijn moeder over het corvee in de spoelkeuken met twee roestvrijstalen afwasmachines en over het houten rek waarin iedere student en docent zijn persoonlijke servet bewaarde. Ze hadden elk een gelabelde roestvrijstalen ring.

Dat zijn spijsvertering de nieuwe omstandigheden ook had opgemerkt, hield hij zo veel mogelijk voor zichzelf. Misschien kookte zuster Hildegarda met meer roomboter dan zijn darmen gewend waren, of anders was het vlees wat minder mager. Hij kreeg last van winderigheid, vooral tijdens de beter bezochte diensten in de kapel. Goddank voor wierook.

Enkele maanden later had Clemens in de vroege ochtend aangeklopt met onder zijn arm de vioolkoffer die ik hem had uitgeleend. Hij reikte hem aan en vroeg of hij ook nog even mocht binnenkomen. Dat mocht natuurlijk.

'Ik zit erover te denken om een computer te kopen,' zei hij aarzelend. Zijn blik was al weggeschoten van het Perzische tafeltapijt naar de buffetkast vol boeken achter me, en terug. Hij vermeed me direct aan te kijken, alsof hij zich schaamde. Het werd een van onze klassieke gesprekken over het geestelijk leven, de uitdagingen en kansen ervan.

'Dat lijkt me een kostbare zaak. En waarom?'

'Dan kan ik beter studeren en schrijven, denk ik. Met een computer kun je heel gemakkelijk een tekst maken, verbeteren en printen. Dan hoef je die alleen maar te kopiëren, en klaar ben je. Ik kan dan ook een seminarieblad beginnen. Iedereen zou erin kunnen publiceren: gedichten of korte verhalen, of een belangrijk boek dat je aan het bestuderen bent.'

'Ik zou eerst maar eens gaan praten met vicaris Lachat. Die heeft ervaring met blaadjes. Maar heb je niet genoeg aan de studie? Een computer is echt niet nodig als je alleen maar in de boeken zit. Een scriptie kun je ook met een typemachine schrijven. Dat heb ik zelf ook gedaan, en dat ging prima.'

Clemens kreeg een kleur. Vlekkerig steeg het rood van zijn nek omhoog naar zijn gezicht. 'U hebt gelijk, pater, natuurlijk moet ik me vooral richten op mijn belangrijkste taak. Het spijt me.'

'Ach, zo erg is het ook weer niet,' lachte ik. 'Loop eens mee, als je wilt.'

Dat wilde hij best, als hij tenminste eerst mocht biechten.

Samen liepen we naar de grote bibliotheek op de eerste verdieping. In de voorkamer stonden de tijdschriften: *121*, *Communio*, de *Elsevier*, de *Osservatore Romano*. Later zou ook zijn *Binnenboord* er een plaats krijgen. Daarna kwamen we in de grote zaal: taalkundige standaardwerken, tientallen meters Bijbeluitleg, dogmatiek, moraaltheologie, kerkelijk recht. De laatste rekken bevatten de geschiedenis van de filosofie, die centraal stond in de eerste twee jaar van de opleiding. Van Thales via Pascal tot Kierkegaard. Clemens hield ervan om er willekeurig een boek uit te vissen en wat zinnen te lezen, de geur van oude wijsheid op te snuiven.

Achter in de ruimte bevonden zich grijsgemoffelde archiefkasten: acht stalen monsters van meer dan twee meter hoog. Er stond een krukje om bij de bovenste planken te komen. De kasten stonden tegen elkaar, maar je kon ze toegankelijk maken door aan de wielen aan de zijkant te draaien; dan rolden ze geruisloos opzij. Meestal stond de kast van de *Migne* open: alle vaders van de Kerk van 200 tot 1216, in het Latijn. Hugo van Sint-Victor. Dit keer draaiden we samen aan de wielen tot in het midden de kast van de heiligenlevens vrijkwam. Ik plaatste een trapje tussen de kasten, klom erop en ging op zoek. Het hoorde bij zijn geestelijke opvoeding, meende ik, om elke dag een stukje biografie te lezen over iemand die op een voorbeeldige manier het geloof in praktijk had gebracht. Een model. De heilige.

Clemens vertelde me dat hij Antonius Abt, Bernard van Clairvaux en Charles de Foucauld al had gehad. Arme, maar rijke kluizenaars. In de woorden van Johannes van het Kruis: zij hadden hun leven omgevormd tot 'een enkele stralende vlam' voor God. Het klonk allemaal prachtig, maar voor iemand die in de parochie zou gaan werken waren deze modellen niet ideaal. Te veel mystieke acrobatiek, te veel vasten en lijden en hongeren, te middeleeuws, naar mijn mening. Zelfs de kampioen van pastoor Van Summeren, Jean-Marie Vianney, was eerder een monnik dan een herder. Bestonden er wel geschikte voorbeelden?

Mijn oog viel op een nieuw boek; de gelijmde kaft was nog ongebroken. Edward Poppe. Een jonge priester uit het Vlaanderen van rond 1920. Het proces tot zijn zaligverklaring was net gestart. Hij had gewerkt in een parochie en was lid van de Filioli Caritatis, een club van vrienden die streefde naar heiligheid. Ze kozen voor een levenswijze die niet anders was dan die van hun eenvoudigste parochianen. Een van zijn grote projecten was een eucharistische kruistocht, waarmee hij de wereld wilde heroveren voor de Heer. Hij gebruikte de hostie als wapen. Het leek me wel toepasselijk.

Met een glimlach nam Clemens het aan. Hij schreef zijn naam en het nummer van het boek in het register en we verlieten de zaal. Hij bedankte me met blinkende ogen.

Wat er daarna gebeurde heb ik niet uit mijn eigen herinnering, maar ontleen ik aan een zwartlinnen schrift van de Hema, dat ik uit de doos heb gehaald. Op de binnenkant van het 'Notitieboek A4, 80 vel' staat de titel *Geestelijk dagboek 1*. De naam Clemens Driessen staat eronder. Daarna komt de allereerste aantekening:

'8 september 1990. Vandaag begin ik met een geestelijk dagboek, naar het voorbeeld van de priester Edward Poppe. Toen hem werd gevraagd naar het geheim van zijn toewijding, zei hij: "Ik schrijf elke dag over mijn vooruitgang in het geestelijk leven. Of over mijn achteruitgang. Zo houd ik mijn oog

gericht op het einddoel: de prijs van Gods hemelse roeping."
Hij voegde eraan toe: *"Nulla dies sine linea."* Geen dag zonder
zin op papier. Dat is ook mijn vaste voornemen. Ik zal elke dag
van mijn leven iets nalaten, niet voor anderen, maar voor mezelf. Ik schrijf om sterker te worden, meer vastberaden in mijn
overgave aan God.
Moge Hij me de kracht geven om vol te houden!
Zalige Edward Poppe, bid voor mij.'

Ik zie kronkelende inktlijnen die bestaan uit een stuiterende
combinatie van twee, maximaal drie letters. Dubbele punten
op de ij zijn vervangen door een enkele lijn, bij het woord 'is'
vormt de punt steeds de aanzet van de s. Andere letters zijn
niet meer dan een haaltje, een *neum*. Wie leest met zijn ogen
toegeknepen ziet dat Clemens' karakters meer hebben van het
Hebreeuwse kwadraatschrift of van vloeiend Arabisch dan van
correct Nederlands. Desondanks is het verrassend leesbaar.

Een grafoloog zou in het dagboek vast een wonderlijke tegen-
strijdigheid ontdekken, de aanwijzing dat deze krabbels een
revolutionair karakter onthullen in zijn loslaten van de conven-
tionele lettervormen, maar ook een traditionele inborst door
de esthetische reconstructie van heilige talen in een modern,
betekenisvol Nederlands. Deze schrijver is als een profeet die
in alles hangt aan de Schrift, maar tegelijk breekt met alle maatschappelijke afspraken. En dit alleen op basis van zijn geklieder
over een stel voorgedrukte lijntjes.

Ik kan niet anders dan toegeeflijk glimlachen, dat Clemens
al zo vroeg in zijn studie het schoolhandschrift achter zich had
gelaten. Ik zie ineens een man die zich vrij voelt om alles te
noteren wat er maar door zijn hoofd spookt, wat hij ook maar
meemaakt. Want het staat ten dienste van zijn geestelijke, emotionele, menselijke vooruitgang. Ik ben hem dankbaar voor zijn
ontdekking.

Tegelijk moet ik ook eerlijk zijn: zijn dagboek is een tweesnijdend zwaard. Door zijn eigen woorden laat hij zich kennen, maar verleen ik hem ook toegang tot mijn geest. Ik voel het gebeuren. Ik heb hem tot nog toe gevolgd van zijn vroege kindertijd tot zijn komst in het seminarie, heb geprobeerd om zijn achtergrond en herkomst te illustreren, om inzichtelijk en invoelbaar te maken wat hem motiveerde. Maar tijdens het schrijven is hij ook een personage geworden, een persoonlijkheid met een eigen karakter en autonomie van handelen. Zo ervaar ik het. Hij gaat met me aan de haal. Hij legt me woorden in de mond, ook wanneer hij ze niet letterlijk heeft geformuleerd op papier of ingesproken op een van die verdraaide tapes. Hij laat me leemtes invullen, woorden net iets scherper formuleren dan hij zelf wist te doen, een intellectueel *acumen* koppelen aan een levenservaring die hij in werkelijkheid misschien helemaal niet bezat. Hij lift mee met wat er in mijn hoofd zit, met wat ik aan spaarzame wijsheid heb verworven in de loop der jaren. Hij activeert wat ik was vergeten of had verdrongen, gebruikt het tot zijn eigen voordeel, om zelf sterker te worden en krachtiger, en wil maar één enkel ding: zo onmiskenbaar en totaal mogelijk tot leven komen in mijn hoofd. Het maakt hem tot een vampier, een ondode die zich voedt met mijn levenskracht, waardoor ik zelf zwakker en zwakker word. Hij is het product van mijn vindingrijkheid, samengesteld uit opgediepte overblijfsels van verloren tijden, tot leven gewekt in de elektrische storm van mijn brein.

Deze zombie is uit op mijn brein.

Intrinsiek goed

Het klooster is niet onwetend van mijn situatie. Het is immers een heilige plaats van ritueel en deugd; de minste afwijking van het patroon is direct zichtbaar. Als je een keer niet komt opdagen voor een gebedsdienst blijft je vaste plek in de koorbanken leeg, zichtbaar voor iedereen. Loop je een keer niet mee in de stille processie naar de refter, dan schuift iedereen een plekje door. Elk versagen druppelt door de hele gemeenschap, raakt uiteindelijk het bewustzijn van ook de meest mystieke kloosterling. Benedictus had goed ingeschat dat een enkele anachoreet in de woestijn veel kwetsbaarder is dan een verzameling godzoekers onder leiding van een vaderfiguur. Het was precies de reden waarom ik na mijn detachering bij het bisdom was teruggekeerd naar de veilige haven. Ik had geen enkele reden om me gestoord te voelen toen ik hoorde kloppen aan mijn deur.

Aanvankelijk kon ik het geluid niet thuisbrengen, en vermoedde een laatste reutel van het mechanisme in de walkman, een tikkende verwarmingsbuis. Maar het kloppen hield aan, en de kloostercel was niet eens uitgerust met centrale verwarming. En ook was het al mei.

Na een volgende serie tikken merkte ik op dat de deur in de verre hoek langzaam openging en een grauwe gestalte in mijn richting zweefde. Het bleke hoofd erboven was niet meer dan een vlek, totdat ik tastte naar mijn bril. Abt Sebastian – wie anders?

Op bezorgde toon sprak hij woorden uit, die ik niet direct begreep. Ik zag hoe zijn blik over de grond en het bed ging waar ik zojuist nog had gelegen, zag ineens met zijn ogen hoe chaotisch de cel erbij lag. Wanorde. Papieren, open dagboeken, verstrooide geluidsdragers – de hele volumineuze inhoud van de doos.

'Het is niet wat het lijkt,' zei ik, mijn keel schrapend. Ik was traag overeind gekomen, had ruimte gemaakt voor mijn voeten, stond onverwacht recht tegenover hem. Altijd fijn om op je abt neer te kijken, bedacht ik.

'Erg goed ziet het er anders niet uit, broeder,' sprak hij, helder nu. De abt greep naar mijn linkerarm en nam hem stevig vast. 'Vertel me: moet ik me zorgen gaan maken? Moet ik ingrijpen?'

Ik keek hem aan zonder te aarzelen, zonder te knipperen. In plaats van terug te deinzen of me los te rukken vond ik de kracht om hem zacht op zijn schouder te kloppen, de cirkel te sluiten. Niets anders zou hem geruststellen, wist ik. Elk teken van onzekerheid van mijn kant zou hem aanzetten tot een interventie die er alleen maar toe kon leiden dat Clemens' erfenis werd teruggeëist. Daar was ik nog lang niet toe bereid.

'Het zijn zware dagen,' zei ik, 'maar goede dagen.' Ik beloofde dat ik vanaf dit moment mijn kloosterlijke verplichtingen weer op me zou nemen, dat ik orde ging aanbrengen in de chaos. Ik vertelde van het werk dat ik tot nog toe had ondernomen en bood mijn excuses aan dat ik me zo had laten meeslepen.

Hij liep naar mijn bureau, waar de stapel volgeschreven pagina's op de hoek lag, trok met zijn duim de vellen omhoog en liet ze weer schieten alsof hij een pak kaarten schudde. Hij besloot een kans te wagen, het risico te nemen, me nog wat genadetijd te schenken. Ik was immers productief geweest en niet ledig; dat gaf hoop. Hij verwachtte me bij de komende vespers.

Toen de deur was gesloten en ik weer achter het bureau was gaan zitten, leek het net alsof ook Clemens van over het graf leek te beseffen dat ik niet de eeuwigheid had om zijn verhaal te voltooien. Hij trok me direct uit het heden naar zijn eigen tijd, naar zijn eerste jaar in het seminarie. Hij was er zo naïef en groen als gras begonnen, was erin geslaagd om als introverte maagd de opleiding in te rollen. Zo kon het niet blijven.

Dat lag niet aan de opleiding, noch aan de docenten die waren ingehuurd om instructie in de verschillende vakken te verzorgen. Integendeel. Als er gezonde en heilzame krachten in het seminarie werkzaam waren, dan waren het de professoren wel, die na een leven van studie en gebed de aankomende priesters onderwezen. Zo was er een Engelsman die zich in het spoor van kardinaal Newman had bekeerd tot het katholicisme en nu de geschiedenis van de filosofie doceerde. Een gehuwde geleerde. Latijn en Grieks werden onderwezen door een dame uit Nijmegen, die bij voorkeur met de fiets forensde. Ze had het gezonde uiterlijk van iemand die veel buiten was, een Hollandse boerin. Ook woonde er een oud-bisschop in huis, een heuse monseigneur die gespecialiseerd was in sacramenten- en genadeleer. Het was een internationaal en zeer geleerd gezelschap, zeer katholiek ook.

'Ik ben zo blij dat ik niet voor een gewone universiteit heb gekozen,' vertelde Clemens eens tijdens een maaltijd. Hij trok de aandacht van iedereen aan tafel. 'Kijk naar de vakken die wij nu krijgen: allemaal op maat geschreven voor onze vorming. Volgens mij vind je deze combinatie en kwaliteit aan geen enkele universiteit. En daarbij delen we ook nog het dagelijks leven met elkaar. Daar kan geen convict tegenop!'

Clemens doelde hiermee op het opleidingsmodel dat in andere bisdommen gebruikelijk was, waarin priesterstudenten aan de universiteit studeerden, maar wel samen in huis woonden. Hun intellectuele vorming was uitbesteed.

Ik had hem tegengesproken, benadrukt dat de keuze van andere bisschoppen, en zelfs van de kardinaal, helemaal niet slechter was, laat staan verkeerd.

'Toch lijkt het me niet goed,' ging hij door. 'Aan een universiteit krijg je een opleiding die ze wetenschappelijk noemen, maar die vooral neerkomt op afstand nemen, op zogenaamd objectief en neutraal beoordelen. Maar je kunt God of de Schrift helemaal niet begrijpen zonder geloof!'

'Objectief is ook subjectief,' viel Pim bij. Clemens en de ouderejaars die wel van een patatje of tien hield leken steeds vaker elkaars gezelschap op te zoeken, was me opgevallen – een onwaarschijnlijk stel. Niet alleen waren ze elkaars fysieke tegenpool, ook was Clemens de religieuze beginneling, terwijl Pim al eens Rolduc en daarna nog een regulier klooster in Frankrijk had geprobeerd voordat hij besloot om wereldheer in het Brabantse te worden. Met de jaren was hij vertrouwd geraakt met alle achtergronden en kerkpolitieke machinaties van katholiek Nederland. Het had hem cynisch gemaakt: 'Als de kerkleiding zo veel zondig mensenwerk toelaat, waar blijft dan onze morele autoriteit?' Tegelijk had hij zich vast voorgenomen om het zelf anders te doen.

Ik kan me niet meer herinneren hoe dit gesprek afliep. Waarschijnlijk heb ik niet veel meer gezegd en geen tegengas geboden. Een spirituaal hoort geen theologische discussies aan te gaan of te winnen; dat is niet zijn rol. Ik mocht me beperken tot knikken, vol begrip, maar zonder uitdrukkelijke instemming. Ik zou er later in een preekje of anders tijdens een geestelijk gesprek wel op terugkomen; mildheid als deugd – zoiets.

Ik was de demper, het contragewicht in de top van de wolkenkrabber dat al te grote bewegingen neutraliseert. De boel recht houden.

Achteraf gezien heb ik hier natuurlijk geen goed aan gedaan. Ik ben te mild geweest, te begripvol. Ik had moeten ingrijpen toen ik begon aan te voelen dat het contact tussen Clemens en Pim niet helemaal zuiver was, dat er meer speelde dan intellectuele uitwisseling, geestelijke bijstand, vriendschap. Daar ligt mijn schuld en mijn verantwoordelijkheid, laat ik daar volstrekt duidelijk over zijn. Ik had die twee uit elkaar moeten houden.

Al was het maar om die ene rit die ze maakten naar het Provinciehuis. In plaats van rustig op zijn kamer te studeren voor het tentamen geschiedenis van de filosofie was Clemens met Pim meegegaan. Hij had geen weerstand kunnen bieden aan de hoge stem waarmee Pim had benadrukt dat hij toch wel een hoog punt zou halen, dat hij er talent voor had. Bovendien bestond de tentamenstof eruit simpelweg vijftig vragen te memoriseren; deze filosofie was catechismuswerk. Hij mocht deze kans op mooie boeken niet laten schieten.

Via de Pettelaarseweg waren ze naar het gelegenheidsantiquariaat gereden en hadden hun blik laten gaan over de volgestouwde tafels. Pim graaide zijn 'pareltjes' bij elkaar in groeiende opwinding; Clemens voelde afkeer van diens gulzigheid en was doorgelopen, een andere richting uit. Hij had toch al een hekel aan winkelen, schaamde zich zelfs in de supermarkt als hij een sinaasappel wilde kopen.

Hij was er niet van overtuigd ook maar iets van waarde aan te treffen, tot hij een hardgebonden boek vond, titelloos zwart, rood op snee. Op het schutblad staat in een fijn handschrift 'Zr. Louise', en de titel van het werk: *De Heilige overgave,* geschreven door Dom Vital Lehodey, abt van Notre-Dame de Grâce, een cisterciënzer abdij, een derde druk uit 1946. Het rook lekker stoffig. Dat doet het nog steeds, trouwens.

'Wij willen onze ziel redden en streven naar de volmaaktheid van het geestelijk leven, dat wil zeggen, onszelf grondig louteren, voortgang maken in alle deugden, komen tot liefdevereeniging met God en alzoo onszelf altijd meer in Hem omvormen.' Dit was taal naar zijn hart. Zelfs de inhoudsopgave achterin, vanaf bladzijde 514, raakte hem met een kracht die hem verbaasde. Structuur.

'Alleen dit boek graag,' had hij gezegd terwijl hij het de verkoper had aangereikt. Die had het op een weegschaal gelegd en gezegd: 'Je hebt geluk. Het weegt minder dan een kilo, dus je krijgt het zo mee.' Nog nooit had een boek zo goed in zijn hand gelegen.

Ik heb lang gemeend dat Clemens qua overzicht en structuur wel aan zijn trekken kwam in het seminarie. Er waren meer dan voldoende colleges om de theologie van tweeduizend jaar systematisch samen te vatten, om over de gastcolleges nog maar te zwijgen. Zoals het college moraaltheologie aan het begin van elk studiejaar, speciaal ontworpen om de neuzen in dezelfde richting te krijgen. Laat dat maar aan doctor Manning over.

'Laat ik deze zitting afsluiten met een vraag aan de gemeenschap. We hebben gesproken over intrinsiek kwade handelingen, zoals het laten afdrijven van een ongeboren vrucht. Geen enkele intentie, zelfs niet het redden van het leven van de dodelijk zieke moeder, maakt deze kwade handeling goed. Waarom niet?' De in een zwart pak gestoken professor moraaltheologie, een witte *tippex* onder de vlezige kin, wees willekeurig een student aan.

'Omdat in de tien geboden staat dat je niet mag doden.'

'Nee, een gezagsargument is niet voldoende. Het verwijzen naar Schriftplaatsen is iets voor protestanten. Wij hebben meer nodig dan de Schrift alleen. Jij daar, blauwe trui.'

'Omdat je de afweging maakt tussen twee levens en dat kan geen mens. Dat is iets voor God zelf. Twee levens zijn precies evenveel waard volgens mij. Het zou absurd zijn.'

'Je hebt niet opgelet, hoor ik.' Het dunne blonde haar van de docent trilde van ingehouden woede. De man hield niet van trage studenten, al waren ze nog zo vaak afgestudeerd econoom.

'Het morele vraagstuk dat ik hier presenteer is niet welke van de twee levens je besluit te gaan redden. Zo'n vraag hoort thuis op de afdeling Spoedeisende Hulp; mijn vraag draait om de handeling zelf. Waarom is deze in zich ongeoorloofd? Albert, probeer jij het eens.'

'Abortus is volgens de katholieke Kerk niet geoorloofd omdat de handeling zelf tegen Gods wet en dus tegen de scheppingsorde ingaat. Objectief en onherroepelijk. Net zoals ontrouw in het huwelijk.' De student met het paardengebit lachte vol zelfvertrouwen. Hij poetste zijn tanden vast minutenlang na elke maaltijd, ook wanneer hij alleen maar yoghurt had gegeten. Met zo veel zin voor zuiverheid zou hij het ver schoppen.

'Juist, abortus behoort tot de categorie der moreel ongeoorloofde handelingen die door geen enkele rationalisering achteraf goedgepraat kunnen worden. Dit weten we doordat de Heilige Schrift en het katholiek leergezag consequent vanaf de eerste eeuwen van het christendom abortus hebben afgewezen. Bij zoveel consensus is er geen twijfel meer mogelijk.'

'Professor Manning, nu gebruikt u zelf toch ook een gezagsargument?' Pims stem vulde de zaal waarin de gehele populatie verzameld was. Alle leerjaren waren verplicht aanwezig. Ook ik had gemeend dat ik erbij moest zijn.

'Meneerke Poldermans, was het niet? Ge bent ook wakker geschoten, hoor ik. Maar niet helemaal. U hebt hopelijk toch wel gehoord dat ik niet alleen verwees naar de Heilige Schrift en het leergezag, maar ook naar de filosofische waarheid, dat alle menselijke handelingen zich al dan niet naar de natuurwet voegen die de Drie-ene God zelf in Zijn schepping heeft gelegd? Ons natuurwetsbegrip is hier de sleutel tot morele afweging, niet de leerstellige weg tot dit begrip. Hebt u dat helder?'

'Zijn er dan helemaal geen omstandigheden te bedenken waarbij abortus geoorloofd is? Er zijn toch gevallen bekend van ongeboren kinderen met ernstige afwijkingen die maar een korte tijd kunnen overleven, en alleen onder gruwelijke pijnen. Is het wel barmhartig om deze kinderen geboren te laten worden? Dat kan toch niet Gods bedoeling zijn?'

'Gods bedoeling met de wereld kan geen mens bevatten, denkt u dat maar niet. Ik bespeur bij u de stank van een hoogmoedige instelling, en dat bevalt me niets. Ik heb geen idee wat u hier wilt bewijzen, maar één ding is zeker: wij kunnen er niet bij. Daarom hebben we gelukkig ook het leergezag van de Kerk, dat ons de juiste weg wijst. Maakt u zich niet al te druk over zogenaamd zinloos lijden. Reserveer uw morele ficties maar voor de recreatie.'

Er klonk een ratelende bel en studenten sloegen hun schriften dicht. Nu de koffietijd was aangebroken liep iedereen naar de serre onder de kapel. Pim zocht direct het gezelschap van de professor voor nieuwe vragen.

'Wat ik me nog afvraag is of u de dogmatische basis van het natuurwetsbegrip kunt toelichten? Hoe verhoudt deze zich tot de onveranderlijke maar vrije wil van God?'

'Tja, Pim, daarvoor moet je toch echt de syllabus nog eens nalezen. Uiteindelijk zijn de wil van God en de natuurwet natuurlijk hetzelfde. Wat God voor alle eeuwigheid heeft be-

paald als goed en rechtvaardig, dat ligt vast in de natuurwet.'
Ineens leek Manning welwillend en vriendelijk, alsof hij alleen
maar een rol had gespeeld.

'Voor alle eeuwigheid, dus nog voordat er mensen op aarde
waren? Toen we allemaal nog apen waren?'

'Laat me niet beginnen over het evolutionisme, dat voert veel
te ver. Johannes Paulus II beschouwde het als "meer dan een
hypothese", dus hij is vast geen creationist geweest. Meer weten we niet. Zo simpel is het. Wat we wel weten, is dat de natuurwet al voor het begin van de schepping bestond, en tot na
het einde der tijden zal blijven bestaan. Het is niets anders dan
de wil van God. Onveranderlijk en eeuwig.'

'Is alles wat we doen dan zwart of wit, goed of fout? Dat
kan ik bijna niet geloven. Waar blijft onze vrijheid?' Clemens
mengde zich in het gesprek.

'U hebt vast net Kierkegaard ontdekt! Wel, die volbloed protestant dacht inderdaad dualistisch in het een of het ander.
Voor ons ligt de zaak niet zo simpel. Ja, de natuurwet ligt vast
en onze handelingen stroken ermee of niet. Maar er bestaan
ook moreel indifferente handelingen, zoals...'

'Ademen?'

'Nu denk je mee, Pim. Je ademhaling wordt geregeld door je
autonome zenuwstelsel en is dus moreel volledig indifferent.
Daar kun je niet voor veroordeeld worden. God kijkt enkel
naar je bewuste handelingen en naar de intenties waarmee je
deze verricht. Als ze voldoen aan de eisen van de zaligsprekingen en de tien geboden, dan zit je goed. Begrijp je?'

'Dus je kunt niet veroordeeld worden voor wat je onbewust
verkeerd doet? Per ongeluk? Als je het echt niet zo bedoeld
hebt?' Er klonk een spanning in zijn stem die zijn gespreks-
partners ontging.

'Moraliteit hangt voor alles af van de intentie van je handelingen. Je kunt een zwerver geld geven om de verkeerde redenen – om indruk te maken, bijvoorbeeld. Dan wordt het goede alsnog moreel verwerpelijk. Daarnaast zijn er handelingen die in zich verkeerd zijn. Hoe goed je intentie ook is, die daden zijn en blijven altijd verkeerd.'

'Abortus, moord, homoseksualiteit.'

'Juist, Pim, zo zit het. En het hardnekkig afwijzen van de leerstellingen van onze heilige Moeder de Kerk. Dat noemen wij een zonde tegen de Heilige Geest. Daar helpt helemaal niets meer tegen.'

'Jawel – de brandstapel!' Lachend nam Pim een doosje Zwaluw-lucifers van tafel en schudde ermee. Achteraf had ik hier misschien ook moeten ingrijpen.

Later die dag bevond Clemens zich weer in mijn kamer en maakte zijn excuses dat hij ondanks mijn advies toch een computer had gekocht. Er begon zich een patroon af te tekenen: eerst vroeg de nederige leerling om advies, daarna nam hij zijn eigen besluit. Vervolgens kwam hij daar weer berouwvol op terug. We dansten een ongemakkelijke hinkelprocessie.

'Wat bedoel je, jongen?'

'Ik gebruik hem te weinig. Hij staat daar maar in mijn kamer. Zou het niet beter zijn als ik hem in een gemeenschappelijke ruimte neerzet? Nu voelt het als een overbodige luxe. Zegt u maar wat ik het best kan doen. Ik zal me eraan overgeven.'

'Overgeven,' herhaalde ik met een geïrriteerde blik waar Clemens van schrok. Het rook naar ouderwetse, jansenistische spiritualiteit, naar de groenezeeplucht van prevaticaanse nonnenkloosters. Clemens had me niets verteld van zijn nieuwe aanwinst. 'Je hebt hem toch gekocht om mee te studeren? Nou, doe dat dan. En heb je niet gesproken over een seminarieblad? Dat kan natuurlijk ook een goed gebruik van je machine zijn. Maak er maar eens werk van.'

'Dank u, pater, en ik zou ook graag willen biechten, als dat kan.'

'Natuurlijk kan dat, jongen. Wacht.' Ik nam een dunne paarse stola en reikte hem de folder aan over het sacrament van boete en verzoening.

'God die als een licht in ons hart is opgegaan, geve dat u, Clemens, oprecht uw zonden erkent en Zijn barmhartigheid ondervindt.'

'Ik belijd voor u dat ik gezondigd heb in woord en gedachten, in doen en laten, door mijn schuld, door mijn schuld, door mijn grote schuld.' Hij klopte hoorbaar op zijn borst. 'Ik heb getwijfeld aan de Heer, vooral aan Zijn goedheid. Het klinkt te mooi om waar te zijn, dat Hij bestaat en het goede wil voor alle mensen. Er gebeurt zoveel kwaad in de wereld. Ik begrijp er niets van en ik twijfel de hele tijd. Soms vraag ik me af of ik eigenlijk wel ooit heb geloofd. Verder betrap ik mezelf op kwaadspreken en roddelen, vooral sinds ik wat meer met Pim optrek. Ik heb het gevoel te weinig aandacht te besteden aan mijn familie en vooral aan mijn moeder – het vierde gebod. En verder twijfel ik of ik wel op de juiste weg zit. Soms lijkt het allemaal maar een hoogmoedige droom, die hele roeping, het hele priesterschap. Begrijpt u?'

'Juist, Clemens, het is goed dat jij je hier zo uitspreekt. Dat doe je niet alleen voor jezelf. Het lijkt wel of we hier met z'n tweeën aan een tafeltje zitten, maar dat is niet zo. "Waar twee of meer in Mijn Naam verenigd zijn, ben Ik in hun midden." Je weet wie dat heeft gezegd. Je hebt nu je zorgen voor God gebracht, en dat is goed. Over je twijfel wil ik dit zeggen: honderd twijfels maken nog niet één zonde. Dat zegt kardinaal Newman. Je mag je dus zo onzeker voelen als je maar wilt, dat hoeft niet te betekenen dat je op de verkeerde weg bent. Dat ben je pas als je meer in de twijfel gaat geloven dan in God.

Houd dus vol, want ze verdwijnt vanzelf. Soms moet je door de duisternis heen om het licht te zien. Over je contact met Pim heb ik geen oordeel. Ik heb wel het idee dat je hem helpt met je vriendschap. Je weet dat hij nogal cynisch kan reageren op misstanden in de Kerk – nou, dat is de laatste tijd verbeterd. Het zou best eens kunnen zijn dat jouw heilzame invloed hier een bijdrage heeft geleverd. Ik zou me niet te veel inlaten met dat geroddel, maar ook het contact niet verbreken. Begrijp je?'

Clemens' hals kleurde weer van schaamte, maar hij knikte in-stemmend.

'Als boete moet je vijf Weesgegroetjes bidden. Gaat dat luk-ken? Dan hoor ik nu graag je oefening van berouw.'

'Mijn Heer en mijn God, ik heb spijt over mijn zonden om-dat ik Uw straffen heb verdiend, maar vooral omdat ik U, mijn grootste weldoener en het hoogste goed, heb beledigd. Ik ver-foei al mijn zonden en beloof met de hulp van Uw genade mijn leven te beteren en niet meer te zondigen. Heer, wees mij zon-daar genadig.'

'God, de barmhartige Vader, heeft de wereld met zich ver-zoend door de dood en de verrijzenis van Zijn Zoon en de Hei-lige Geest uitgestort tot vergeving van de zonden; Hij schenke u door het dienstwerk van de Kerk vrijspraak en vrede. En ik ontsla u van uw zonden in de naam van de Vader en de Zoon en de Heilige Geest.'

'Amen.'

'Proficiat, jongen,' zei ik terwijl ik hem de hand reikte. 'Je kunt er weer even tegen.' In gedachten voegde ik eraan toe: en blijf maar even weg. Ik had de situatie niet slechter kunnen in-schatten.

Naderbij

Ze bevonden zich in Pims kamer, aan de voorkant van het huis, dicht bij het rumoer van de straat, dicht bij de centrale hal. De ruimte was niet veel groter dan de cel van Clemens, maar een stuk economischer ingericht. Pim had een hoogslaper boven de deur in elkaar geknutseld, zijn eerste poging tot huisvlijt. Geïnspireerd op de Timmerman zelf. Dikke balken ondersteunden zijn slapende lijf; de ruimte tot het plafond was een kleine meter.

'Hoe dichter bij God, hoe beter' – die grap maakte hij werkelijk.

Maar het pronkstuk van de klussende priesterstudent was zijn bureau, van voordelige stukken hout, spaanplaat en mdf. Je zag het amateurisme eraan af, al had hij het geheel met donkere lak een air van degelijkheid weten te geven. Het bureau had de vorm van een oversized secretaire, vol laden en kastjes met goudkleurige knoppen; op de hoeken waren twee verweerde pinakels geschroefd. Er was ruimte voor een computermonitor. Maar de blikvanger was toch het bureaublad zelf. Net als zijn grote voorbeeld Thomas van Aquino had Pim er een gat uit gezaagd, precies de ruimte van zijn buikomvang. 'Zo hoef ik minder mijn armen te bewegen. Dat helpt me om me te concentreren op de gewijde studies.'

Pim had zijn stoel naar Clemens toe gedraaid, die had plaatsgenomen in een fauteuil onder de hoogslaper, licht voorovergebogen, de handen gevouwen in zijn schoot. Hij keek naar een prent aan de muur: Simeon de Styliet zat op een gebroken tempelzuil terwijl achter hem Rome in vlammen opging. Willink.

'Je mag er best over denken.'

'Dat zou toch niet nodig moeten zijn? Ik bedoel, als het echt goed is.'

'Je hebt natuurlijk gelijk. Ik wil je ook niet opjagen. Tenminste, we hebben het hier niet over opjagen of nadenken over goed of verkeerd. Je weet dat het daar niet om gaat. Het gaat om alles wat je voor mij betekent, je begrijpt wel wat ik bedoel.'

'Waar twee of drie in Mijn naam...'

'Waar twee mannen in Jezus' naam samen zijn, is Hij zelf aanwezig. Ik voel dat vanbinnen. Echt waar, ik voel het diep vanbinnen zoals ik mijn roeping nog nooit dieper vanbinnen heb gevoeld. Nog nooit.' De kalende man met serieus overgewicht keek de jongen aan zonder met zijn ogen te knipperen. Zijn bril leek naar voren te schuiven over de brug van zijn neus, de spanning hing als een zweem van zweet over zijn hele lijf.

Clemens keek weg.

'Monniken hebben het ook gedaan, hoor. Dat heb ik je toch laten lezen? Al sinds de twaalfde eeuw is het bekend. Aelred van Rievaulx. Hij ging wandelen met zijn vrienden; ze hielden elkaars hand vast omdat ze Christus in elkaar herkenden en erkenden. Jawel, ook erkenden!'

'Maar wij zijn Nederlanders. Ik bedoel, het is toch een andere tijd nu?' Het was een vraag, maar zo klonk het niet. Een vis spartelde met zijn laatste krachten voordat hij werd binnengedraaid.

'Ik zou het zo graag doen, Clemens, jou dat teken geven, omdat ik Christus in jou herken. Je merkt het zelf niet eens, hoeveel je op Hem lijkt! Echt waar, als ik je soms zie zitten in de kapel, tijdens de Aanbidding van het Allerheiligste, dan is het alsof je gezicht door een zonnestraal wordt verlicht. Nee, dat is geen grap, je bent dan net een engel. En alleen maar omdat je zo intens gelooft, zo vol vuur en overgave van God houdt. Ik zie dat je dat wilt doen: je geven aan Jezus. Net zo vurig als Franciscus de melaatse omarmde na zijn bekering. Hij zag Christus in het gelaat van die misvormde en verdoemde man. Hij zag voorbij het uiterlijk, de lelijkheid en smerigheid; hij zag de Verlosser. Wat je voor een van de armsten hebt gedaan, dat heb je voor Mij gedaan. Jezus spreekt er zelf over. Wat je aan de minsten der Mijnen hebt gedaan, heb je aan Mij gedaan. En denk aan de leerling van wie Hij hield, Johannes. Je weet dat ik gelijk heb.'

Clemens stemde stotterend in met de redenering, alsof hij voelde waar die hem zou voeren. Er was geen ontsnappen aan deze theologica.

'En waar denk je dat de gewoonte vandaan komt om elkaar bij elke heilige Mis de vrede te wensen? Dat is echt niet begonnen als een simpel slap handje zoals tegenwoordig in Nederland. Het ontstond in het warmbloedige zuiden; daar gaven de gelovigen elkaar een vrome vredeskus, op de lippen. Twijfel daar maar niet aan. In die tijd was het nog een gebaar dat kracht had, een mannelijk en ondubbelzinnig teken van gelovige verbondenheid. Zo simpel was het. Je verbondenheid in de Heer tot uitdrukking brengen. Prachtig!'

Clemens keek weg van de verwoeste zuilen van Simeon, de inktzwarte wolken aan de horizon. Zijn ogen flitsten naar de pinakels, naar een Mariabeeld. Ze glimlacht altijd zo triest, dacht hij. Hij dacht aan de zeven smarten van de Moeder Gods, aan haar vijf droevige geheimen.

'Goed dan. Laten we dat dan ook maar doen.' Hij stond op.

Op het moment dat hun lippen elkaar raakten, wist Clemens dat hij zich had vergist. Hij probeerde zich direct los te maken, duwde tegen een weke en tegelijk verrassend solide buik, maar het was te laat. Er zat een arm om zijn nek, die niet meegaf, maar zijn hoofd in een vreemde knik wrong.

Een uur later knielde hij in de kapel. Hij was niet alleen: een groep van twintig gelovigen, deels van buiten, had zich verdeeld over de banken. Sommigen zaten op hun knieën, op een vilten mat om pijn te voorkomen, of glimmende plekken in de pantalon, dat teken van aanhoudende gebedsdrang. Het licht was zoals altijd gedempt. De zware geur van wierook was blijven hangen van het korte ritueel dat de Uitstelling werd genoemd, waarbij de hostie plechtig uit het tabernakel was genomen door de acoliet van dienst. Die had hem op het altaar geplaatst in een gouden monstrans, de eenvoudige, niet de barokke. Eerst had hij er voorzichtig de lunula in geschoven, een maanvormig stukje goud dat een voor dit doel geconsacreerde grote hostie vasthield.

Wat in sommige dorpen het hart van een jaarlijkse processie vormde, werd hier dagelijks tevoorschijn gehaald. Broodbidders: in de meest letterlijke zin werd hier het oude scheldwoord van de protestanten waargemaakt. Het stilstaande beeld vond een permanente ondertiteling in de inscriptie op de voorkant van het altaar: *Tarwe der Uitverkorenen*. Welja, dacht hij, uitverkoren zondaars.

De rozenkrans begon met de blijde gebeden; Clemens maakte een start en probeerde mee te bidden, maar ineens stond de zalvende taal hem tegen. Hij stond op, liep weg. 'Vergeef ons onze schuld,' klonk het om hem heen, 'zoals ook wij aan anderen hun schuld vergeven.' Hij ervoer het als de branding van de zee, een dominant gedruis, wilde zich niet meer laten meevoeren door de monotone voorbidder, had geen geduld meer met het glijden van de kralen door zijn vingers. Hij brak het af en volgde de eindeloze trappen naar beneden, liep de stad uit. Hij ging het Bossche Broek in voor een grote ronde om de Zuiderplas. Dit zou zo veel tijd kosten dat hij zeker niet meer op tijd kon zijn voor de vespers of het avondeten. Gelukkig maar, anders liep hij met zijn geluk vast weer Pim tegen het lijf.

Daarna begaf hij zich naar het centrum, staarde van een bruggetje in het morsige water van de Dieze, keek omhoog naar de kathedraal, die opnieuw in de steigers stond. De hoge ramen omvatten geblakerde, grillige scherven glas; groene uitslag kleefde aan afbrokkelend zandsteen. Inmiddels had hij begrepen waarom de Romaanse toren van baksteen zo slecht paste bij het gotische schip: de gelovigen waren in de dertiende eeuw vol enthousiasme begonnen aan de achterkant, maar toen ze na honderd jaar voor aankwamen was het geld op. In plaats van een imposant en passend dubbelfront lieten ze de oude toren staan. Goed idee, slechte uitvoering, dacht hij. Zoals pa altijd zei: *Null Punkte*.

Hij negeerde het bisschoppelijk paleis aan zijn linkerhand en het standbeeld van Johannes met de adelaar aan zijn rechter. De kerkstraat was verlaten. Hij kwam aan de voorzijde, waar het leek of de kerk zich over hem heen liet vallen. Nu viel hij wel heel hard; dat moest de honger zijn. Clemens liep door naar Sint-Janneke, waar hij friet kocht en een kaassoufflé. Geen mayonaise, hij wilde niet eindigen als die vetklep.

Van Sint-Janneke liep hij de oude stad in, zwierf door de brede winkelstraten naar het plein, liep naar de put in het centrum en keek over de rand. Slechts planken. Zijn ogen schoten langs de gevels, de kledingwinkels, de reclameborden. Een ouder stelletje wandelde arm in arm, bleef kijken bij een etalage met gouden horloges, keek verstoord op toen een jongen met een bromfiets snerpend voorbij kwam. Clemens liep weg van de open ruimte, ineens gehaast, zocht de smalste steegjes op, ademde de Bossche pislucht.

Onder een koperen beeld van een naakt jochie vond hij een bankje om uit te rusten en keek van het rimpelvrije water van de grachten naar de bogen en hoeken van de gebouwen waar ze onderdoor stroomden. Middeleeuwse romantiek, moderne hersenschim. Wie had hem toch verteld dat het seminarie nog steeds loosde op de Binnendieze?

Hij wachtte tot de dienst van de zuster erop zat. Na twaalf uur sloop hij langs het beeld van Mozes in de hal, trok er zijn schoenen uit, vermeed zelfs maar te kijken naar de kapel en begaf zich zo stil mogelijk naar boven. De kou van de tegels trok omhoog door zijn benen. Hij liet geen sleutel rinkelen en sloot zacht de deur om te voorkomen dat de hele gang zou weten dat hij nu pas thuis was. Hij kroop met zijn kleren aan onder de dekens. Het duurde lang voordat de slaap kwam. Zijn droom noteerde hij in zijn dagboek.

'Van grote hoogte keek ik neer op een enorme zandbak. Rotsen en gruis zo ver mijn oog reikte, de aarde was veranderd in een Joodse begraafplaats. Het was warm daar boven en het werd warmer naarmate ik afdaalde naar beneden. Met een snelheid die ik niet zelf in de hand had naderde ik een lichte plek tussen het roodbruine gesteente. Een slordig gestapelde waterput. Er stond een olijfboom naast, de stam verdraaid alsof hij met geweld aan de hete grond had proberen te ontsnappen. Ik zag een menselijke gedaante naderen. Een jongen; zijn kleed wapperde achter hem aan. Hij lachte zonder dat ik begreep waarom, haalde een ketel uit de plooien van zijn kleed tevoorschijn en gooide hem met een sierlijke zwaai over het muurtje de diepte in. Een vlassig touw volgde de waterdrager, de lijn waarmee het water opgetakeld kon worden. De jongen ging zo op in zijn werk dat hij mij niet opmerkte en evenmin de derde persoon die op het toneel was verschenen. Een mooie man om te zien, lang haar tot op zijn schouders, een vriendelijke lach om de lippen, in een smetteloos roomwit kleed. Hij wandelde naar mij toe en kwam naast me staan.

"Betoverend, hè, zo'n jongen?"

Ik knikte en keek opzij. De volle baard en het profiel met de lange neus kwamen me bekend voor.

"Wacht hier," zei de man. Hij liep naar de jongen, pakte het touw uit diens handen en gooide het weg, de ketel achterna.

De jongen stond stil, te verbaasd om te reageren. Hij verzette zich niet toen de man hem bij de schouder vastpakte en hem meevoerde in mijn richting. Gedwee als een lam ter slachting.

Ze naderden me. Hielden stil. De man keek naar me, lachte zijn gave tanden bloot, toonde zijn prachtige lach, glimlachte zoals Jezus naar een kind. Toen draaide hij zich naar de jongen en opende zijn mond nog verder. Onnatuurlijk wijd. Een enorme tong als een naaktslak kroop eruit en bewoog zich over het gezicht van de jongen. Een grillig zilveren spoor bleef achter.

"God is liefde, toch?"

De lach werd een grimas. Een knipoog maakte me medeplichtig aan het onnoemelijke. Machteloos zag ik hoe de jongen ineenzakte.

Daarop keerde de man zich naar mij toe, opende zijn armen wijd. Zijn gewaad viel als dat van een priester. Hij greep me klemvast; ik kon geen kant op, zag zijn slijmerige, hongerige mond naderen. De slak vertoonde zich weer, snel als een slang nu, schoot vooruit, in me. Op het moment dat ik zijn tong tegen de mijne voelde, schrok ik wakker. Ik lag in foetushouding naast het bed.'

Die ochtend klampte Clemens me weer aan, in het besef dat zijn verzoek ongebruikelijk was, ongepast zelfs. Nog maar een paar dagen tevoren hadden we met elkaar gesproken. Toen had ik zelfs het woord 'scrupulositeit' laten vallen. Daarmee had ik Clemens' veel te grote bezorgdheid getypeerd, zijn groeiende angst dat zijn zonden het einde betekenden van zijn geestelijke vooruitgang. 'Niet alles is een doodzonde, jongen,' had ik gesust. 'Er zijn zelfs theologen die betwijfelen of mensen wel in staat zijn om bij volle bewustzijn tegen God te kiezen. Misschien zijn we in werkelijkheid te zwak en te verward om echt zondig te zijn.' Hij had geknikt en gevraagd hoe het dan zat met de leiding van de Kerk. 'Die lijkt helemaal niet verward.' Ik ben mijn antwoord vergeten.

'Vertel eens: wat heb je op je hart?'

We bevonden ons op de vertrouwde plek, in de kamer aan de tuinkant. Mijn platte schrijfmachine stond te zoemen op het bureau, een vel erin gestoken.

'Bij een vorige biecht, weet u nog, heb ik gesproken over Pim, en dat ik me niet altijd prettig voelde bij ons contact.'

'Over dat roddelen en kwaadspreken en zo.'

'Dat ook, maar nu er is meer. Mijn onbehagen is niet weggetrokken, maar juist sterker geworden. Hij vraagt steeds meer van me, maar ik wil niet. Ik bedoel, het liefst zou ik niet meer met hem omgaan, helemaal niet.'

'Ach, Clemens, wat maak je het jezelf toch moeilijk. Heb ik je niet gezegd dat ik vooruitgang zie in het gedrag van Pim? Maak je geen zorgen om een beetje roddel of zo. Het is niet jouw verantwoordelijkheid. Pim vertelt me dat hij het zonder jouw steun waarschijnlijk niet eens had volgehouden in het seminarie. En zijn wijding staat voor de deur. Werkelijk, je helpt hem.'

'Maar...'

'En dan nog iets. Als wij iets in de biecht bespreken, dan blijft dat *sub rosa*, dat weet je toch? Het biechtgeheim biedt die bescherming aan iedereen, juist om de weg naar de Heer open te houden. Je kunt je op elk moment bekeren. Daarna hoef je er dus niet meer op terug te komen. Begrijp je? Het sacrament vernietigt alles waar je spijt over hebt. Klaar.'

'Ja, pater.' Hij boog zijn hoofd.

'Had je nog iets anders te bespreken?'

'Nee, pater.'

Met een bedankje verliet hij de kamer en daarna moet hij naar het lichte trappenhuis aan de zijkant zijn gelopen, naar de lift. Wie snel boven wilde komen, kon beter te voet gaan, maar Clemens had geen haast meer. Hij trok de zware rode deur naar zich toe, stapte naar binnen en zag de verdiepingen langzaam aan zich voorbijglijden.

Toen hij de deur van zijn kamer opende, trof hij op de grond een dichtgelikte envelop aan met zijn naam erop. Er stak een ansichtkaart in, met een afbeelding van de Jezus van het Heilig Hart. Een rode en een witte straal uit zijn borst. Op de achterkant staat de volgende tekst:

Lieve Clemens,
Het was gisteren... rond het negende uur...
totale liefde, totale overgave als nooit tevoren.
Woorden schieten tekort om voor dit alles dank te zeggen,
dat Gij in ons zijt opgebloeid. En nu met Hem verder!
Je vriend in Christus,
Pim

Clemens deed de kaart terug in de envelop en pakte zijn geestelijk dagboek. Hij had er praktisch elke dag in geschreven, precies zoals hij zich had voorgenomen. De dag ervoor was het nog: 'Vandaag is het hoogfeest van het Heilig Hart, en dus gaan mijn gedachten naar het Kruis. Drie uur na executie wilden de Romeinen zeker weten dat hun criminelen dood waren. Van de twee dieven die met Jezus terechtgesteld waren braken ze beide benen, zodat ze sneller stierven. Jezus had zijn laatste adem al uitgeblazen, dodelijk verzwakt door de kruisweg die hij als enige achter de rug had. Ze braken geen bot in zijn lijf, evenmin als bij het paaslam. Om zeker te weten dat Hij dood was, stak een soldaat met een lans in zijn zijde, onder zijn ribben door, tot diep in zijn hart. Er vloeiden water en bloed uit. In die heilstroom moeten we ons zuiveren, zegt de Kerk. Wat is er nog veel schoon te wassen.'

Hij had er geen woord aan toe te voegen, legde de envelop van Pim in het schrift en schoof het tussen een Willibrord-vertaling en een catechismus op zijn boekenplank.

Het zou maanden duren voordat hij het regelmatige schrijfritme terug had gevonden, waarbij me opvalt dat de onbevangen, idealistische en vrije toon van het begin niet meer terugkeert. Integendeel.

Versnellingen

Hij vertelde me met zachte stem dat hij de indruk had gekregen dat iemand het verstrijken van de tijd in een hogere versnelling had geschakeld. Elk jaar leek meer op het voorgaande, veranderde van herkenning in de zielloze herhaling van het aloude. Misschien kwam het door de liturgische kalender, die van eeuwen her het gewicht en de kleur van de dagen aangaf: de hoogfeesten van Kerstmis en Pasen, de advent en de Veertigdagentijd, de zondagen. Clemens hield ze nauwelijks nog uit elkaar, beschuldigde zichzelf ervan dat zijn trouw aan het altaarmissaal het feest leek te doden. Hij moest zich meer toeleggen, door de nacht naar het licht.

Het repetitieve van zijn kloosterachtig leven lees ik op elke bladzijde van zijn dagboek: 'Weer een weekend Allen Thuis, nu vanwege het hoogfeest van Johannes Evangelist', of: 'Mijn moeder komt ook dit jaar op bezoek voor roepingenzondag. We gaan gebak eten in de stad. Ik hoop dat Angelena erbij is, dat is altijd gezellig.' De frequentie van de bijdragen liep terug – weer een behoefte die uitdoofde.

Niettemin beschouwde hij de reinheid en het regelmatig leven als een groot goed. Tot zijn eigen verrassing kwam zelfs zijn libido tot rust, wat hij deels verklaarde doordat hij was afgesneden van toegang tot erotisch getinte literatuur of televisieprogramma's, deels ook doordat hij ver weg woonde van Ella. Het was niet zijn verdienste. Op een van mijn voorzichtige vragen in deze richting, antwoordde hij eindelijk eens zonder schaamte dat inmiddels zelfs zijn dromen zuiver waren.

'Dat is uitzonderlijk,' reageerde ik, 'en ik hoop dat je je dat ook realiseert. De meesten hebben meer moeite om hun kuisheid te bewaren.'

Clemens boog het hoofd, onzeker of hij zojuist een compliment had gekregen of abnormaal was genoemd. Ineens stelde hij zich voor dat de meerderheid van zijn vijftig medestudenten over de schreef ging, dat de verhalen die rondgingen in de wandelgangen misschien toch op waarheid berustten. Stiekeme relaties waarbij zelfs kinderen werden verwekt, masturbatie in de douches, wisselende homoseksuele contacten in het kathedrale koor: door mijn woorden wonnen de roddels ineens aan realiteit. Zelfs geruchten over promiscue pastoors en grensoverschrijdende bisschoppen kon hij niet meer op voorhand afwijzen. Een verontrustend idee.

Hij vertelde me hoezeer hij schrok van medestudenten die onverwacht vertrokken en hun opleiding tot priester afbraken. Ze waren aan het begin vol goede moed, in niets te onderscheiden van de anderen. Dat maakte het zo verraderlijk. Ze waren door de ballotage gekomen, door de bisschop zelf goedgekeurd, hadden gesprekken gevoerd met de rector, referenties gegeven. Het waren zonder uitzondering mannelijke, gedoopte en gezonde kandidaten. Voor een belangrijk deel hadden ze de wereld gezien en haar verlokkingen weerstaan.

Van sommigen werd achteraf gezegd dat ze te ambitieus waren gestart, opgebrand voor hun tijd. Patatgeneratie. Anderen hadden te weinig focus, waren te naïef, of bleken te verleiden door slechte vrouwen of mannen. Soms ontdekte een student niet geroepen te zijn tot het priesterschap, maar tot het huwelijk. Dan was hij tenminste niet verloren voor de Kerk – integendeel.

Voor Clemens was het binnenstappen in het seminarie als een reis zonder haltes, zonder overstap. Anders dan voor Albert, de priesterstudent met de witte tanden. Hij had een kamer in de gang onder Clemens, was een serieuze student die snel sprak en hoge cijfers haalde. Hij hield van hardlopen en van Bach, van wie hij de verzamelde werken in de kast had staan. Rij na rij Deutsche Grammophon. Iets anders luisterde hij niet, want daar kreeg hij hoofdpijn van. Zelfs de werken van de zonen van Bach waren onacceptabel: 'Ik herken direct of het een werk van de meester zelf is.'

Hij leverde incidentele bijdragen aan het seminarieblad, waarin hij zich een dwarse denker toonde, noemde zich neofundamentalist. Hij deed een poging om de katholieke dogmatiek te baseren op het argument van Tertullianus: *Credo quia absurdum*, wat hij vrij vertaalde als: 'Ik geloof omdat het melodieus is.' Op etymologische gronden. De rede kon niet langer een weg zijn naar het geloof in God, nu de scepsis in elke wetenschappelijke rationaliteit zat ingebakken. Bladzijde na bladzijde probeerde hij zijn medestudenten ervan te overtuigen dat het geloof om muziek vraagt, om het samenbrengen van losse klanken en tonen in verschillende tempi, in complementaire stemmingen. De dwaasheid van het kruis werd geloofwaardig in de *Mattheus Passion*. Hij citeerde Paulus.

Geïntrigeerd had Clemens tijdens een recreatie urenlang met hem gesproken, complimenten geuit voor de originaliteit van de gedachte, bedenkingen geformuleerd die steeds sterker werden.

'Het klinkt aannemelijk, maar raakt het criterium voor de

waarheid niet verloren door je nadruk op de mooie melodie, op esthetiek? Is dan niet alles geoorloofd? Metal in de kerk? Als het maar mooi genoemd wordt?' Hij raakte enthousiast, wees op de tegenstelling tussen Plato en Aristoteles, tussen idealisme en realisme: 'Onze heilige Moeder de Kerk heeft toch gekozen voor het laatste? Denk aan de eucharistie: daar verandert het brood in het Lichaam en de wijn in het Bloed van Christus. Een ontzagwekkende realiteit, geen vluchtig spel van woorden of melodie!'

'Het dogma van de transsubstantiatie sluit liturgische muziek niet uit, maar verrijkt die juist!' Albert sprak ineens luid, trok de aandacht. 'Jij probeert los te denken wat samengaat, te scheiden wat bij elkaar hoort. Je hebt genoeg gestudeerd om te denken dat je het weet, maar nog niet genoeg om bescheiden te worden, dát is het echte probleem. Je bent arrogant!'

Met een ruk stond Albert op en veegde alle glazen en flessen van de tafel. Iedereen stopte met praten.

'*Tabula rasa!*' riep hij. 'Je moet leeg zijn als je vervuld wilt worden van de hemelse muziek! Hou je bek en luister!'

Ook Clemens stond op en bood met zachte stem zijn excuses aan. Terwijl de rector zich over Albert ontfermde, liep ik naar Clemens en vertelde hem dat het goed was. Ik nam het over; hij mocht zich terugtrekken op zijn kamer. Na een kort gebed moet hij ingeslapen zijn, zoals altijd met een rozenkrans in de handen en oordopjes in.

De volgende ochtend was Albert weg. Met sonore stem had de rector de gemeenschap geïnformeerd dat hij problemen had gekregen met zijn gezondheid, maar nu in goede handen was. Een medestudent had me verteld dat hij had gezien hoe Albert eerder als een konijntje de trap naar de kapel op sprong, melodieus had gepiept en had geprobeerd om op de balustrade te klauteren. Een andere student had hem in de keuken betrapt, beide handen gedoopt in een grote schaal met yoghurt, de verzamelde restjes uit oude pakken. In zijn laatste nacht had hij rond drie uur het halve huis gewekt met keiharde Rostropovitsj.

Hoe anders verliep het vertrek van Pim. Dit was een regulier einde: de theologische studie afgerond met een scriptie van meer dan vijftig bladzijden, iets over geestelijk vaderschap bij Augustinus, een stageplaats geaccepteerd in Tilburg. Een buitenwijk weliswaar, niet de hoofdprijs. Hij behield nog een jaar zijn studentenkamer, werd elke zondagavond in het centrum verwacht voor de laatste praktijklessen. Pastorale gespreksvoering, economie voor pastoors, zangles. Samen met vijf medestudenten vormde hij de oudste generatie in huis, de groep waar jongerejaars tegen opkeken, de mannen met ervaring en wijsheid. Of minstens met humor. Zo had een van hen het aantal dagen geteld dat hij definitief uit huis zou gaan en een meetlint aan het publicatiebord geprikt. Hij knipte met genoegen de dagen weg, verklaarde dat hij zich steeds minder gehospitaliseerd voelde. 'Nog even en we krijgen ontslag!'

Voor Pim bood de maandag vooral de gelegenheid om banden aan te halen. Clemens had er last van, toonde zich steeds minder begripvol wanneer we erover kwamen te spreken. Volgens hem vond Pim telkens weer een excuus om aan te kloppen; altijd was er een drama dat om aandacht vroeg. De computer deed raar, zijn vader had een terugval, het gerucht van een verse roddel bracht verwarring of verontwaardiging. Clemens, inmiddels getraind in pastorale gesprekstechnieken volgens de methode van Carl Rogers, beschouwde het als zijn plicht om hem eindeloos aan te horen. Sinds het vertrek van Albert was hij wat voorzichtiger met tegengas geven.

Hij vertelde me dat het op de zaterdagochtend van zijn diakenwijding weer zover was geweest. Pim had aangeklopt en had ditmaal in stilte gewacht totdat Clemens de kamerdeur had geopend. Hij maakte een gespannen indruk. Voor het eerst had hij zijn normale kloffie vervangen voor een pak met een priesterboord.

'Kijk,' zei hij emotioneel, 'kijk dan toch.'

Het bekende vollemaansgezicht. Zijn jasje viel te ruim over zijn ronde schouders; zijn platvoeten wezen naar buiten. Er liep een traan over zijn wang. Clemens nodigde hem met een gebaar uit om binnen te komen.

'Vertel,' zei hij.

Pim keek opzij naar de wastafel, waar een spiegel boven hing, wees ernaar: 'Als je dat ziet, zie je dan een priester? Ik niet! Ik zie iemand die speelt dat hij een priester wil zijn, een acteur!'

Hij plukte telkens aan zijn boord, alsof die te glad was om er greep op te krijgen, en begon snikkend te huilen. Zijn hele massa schokte op en neer – een angstaanjagend gezicht. Toen de boord losschoot, gooide hij hem aan de voeten van Clemens.

'Ik ben het niet waard,' kon hij nog net uit zijn keel persen.

Clemens stapte achteruit, nam het plastic van de grond en legde het op de leuning van een klapstoel die ook dienstdeed als knielbank. Aarzelend en onhandig klopte hij Pim met zijn linkerhand op de schouder, wees toen naar de bureaustoel: 'Ga maar even zitten. Rustig maar.'

Pim aarzelde, bewoog afwezig heen en weer, wipte van de ene voet op de andere, leek aanstalten te maken om Clemens te omarmen. Die stapte direct weg, achter de bidstoel, bewaarde afstand. Pim schokte nog wat na en ging eindelijk zitten.

'Niemand is het waard,' zei Clemens gedempt. 'Niet echt. Het priesterschap blijft een genade, geen verdienste. Jezus koos geen rechtvaardigen uit, maar zondaars. Dat weet je toch?'

Pim knikte, begon te praten. Hij begreep ook niet waar zijn

twijfel vandaan kwam, waarom hij ineens zo'n emotioneel wrak was. De overgang naar de parochie viel hem zwaar, natuurlijk. Hij had zo beschermd geleefd, zo lang al. Gelukkig had hij toestemming gekregen om aan de universiteit van Tilburg verder te studeren. Zijn leven zou uit meer bestaan dan pastorale zorg alleen.

Hij keek omhoog naar Clemens en zag er ineens jeugdig uit, kinderlijk zelfs. 'Dank je dat ik dit niet alleen hoef te doorstaan,' sprak hij zacht.

Clemens had geknikt.

'Je kunt je echt niet voorstellen wat voor steun je voor me bent, hoe je me helpt om op de juiste weg te blijven. Zonder jou was ik allang gestopt, echt waar.' Even leek hij weer een aanval van emotionaliteit te krijgen.

Clemens zuchtte diep. Hij had dit al vaker van hem gehoord – te vaak. Hij stond nog steeds met zijn rug naar het hoge raam, achter de opgeklapte bidstoel. Zijn rozenkrans lag op het bed waar hij hem had laten vallen. Zijn ogen gingen naar de afbeelding van Jezus, de versie die tot Franciscus zou hebben gesproken. Was dat nou in Portiuncula? Het was een sereen triomferende Christusfiguur, niet die theatrale zak botten van Grünewald. Mijn affiniteit met het kruis is aan het veranderen, constateerde hij. Nog een jaartje en hij schilderde iconen achter een vergrootglas. Hij richtte zijn aandacht weer op Pim, die tot rust leek gekomen, en reikte hem behoedzaam zijn priesterboord aan.

'Als je echt twijfelt, kun je het altijd uitstellen,' begon hij. 'Niemand houdt een pistool tegen je slaap. Je bent geen mens iets verplicht. Het is jouw leven.'

Pim had instemmend geknikt, de boord aangenomen en was opgestaan. 'Je hebt gelijk, zoals altijd. Dank je. Ik moet het maar gewoon laten gebeuren.'

Een halfjaar na de diakenwijding liet Pim zich ook tot priester wijden, maar niet nadat hij ook de laatste centimeter van het meetlint ritueel in de prullenbak had gedeponeerd. De verzamelde gemeenschap applaudisseerde minutenlang.

Volgens mij bracht zijn vertrek eindelijk rust. Het viel me op dat de frequentie van onze gesprekken terugliep, dat Clemens minder gejaagd door het huis liep, minder angstig. Zelf verklaarde hij de verandering door het simpele verstrijken van de tijd. Het komen en gaan van medestudenten, de theologische disciplines door docenten waar je na een semester weer afscheid van nam: hij raakte eraan gewend. De nieuwe schoen knelde en kraakte niet meer. Een regelmatige cadans suste zijn bezorgdheid, ging wonderwel samen met een verschuiving van zijn aandacht naar het hier en nu. Ik constateerde een zekere ontspanning in zijn lijf, in zijn schouders, alsof hij zich niet langer schrap zette om klappen te incasseren. Hij vertelde dat hij erin slaagde om door te ademen, dat hij zijn lijf en brein beter van zuurstof wist te voorzien. Hij viel niet langer af, maar bleef stabiel tegen de zestig kilogram en zag weer uit naar de verplichte maaltijden. Hij maakte dan onverwachte grapjes en discussieerde terwijl hij met genoegen kauwde op de speklappen die zijn moeder nooit zou hebben geserveerd.

Hij kreeg er plezier in door de stad en de polder te wandelen, altijd alleen en met zijn ogen op de grillige, jagende wolken boven hem. Een enkele keer stelde hij zich voor hoe God hem moest zien lopen, vriendelijk neerkijkend van boven: een van de vijftien miljoen Nederlanders, in niets te onderscheiden, behalve wellicht door zijn bereidheid om de Heer op een enkel woord te volgen. Dan meende hij dat hij die aandachtige mantel der liefde, dat immens kostbare kazuifel, als een feilloze zegening over de aarde kon zien hangen.

Handelaar

Voordat ik nu verderga met Clemens' eigen vertrek uit het seminarie, moet ik nog iets toelichten over zijn intellectuele leven. Behalve de catechetische filosofie die stopte bij Blaise Pascal voorzag het lesprogramma in de onvermijdelijke morele en dogmatische vakken, allemaal vergelijkbaar in toon met dat van professor Manning. Toch was er ook ruimte voor een meer progressief geluid, waarbij weliswaar geen Schillebeeckx, maar De Lubac, Blondel, Rahner en Küng toch volop geciteerd werden. Dit was de school waar ik zelf hoop aan had ontleend, een nieuwe theologie die minder dacht vanuit een ahistorische opvatting over het verbond tussen God en mensen, alsof alles wat eens is verwoord alleen maar herhaald moet worden. Geloof als schatkist en de Kerk als bewaker van dat kapitaal: daar had het Vaticaans Concilie een nuancering bij willen aanbrengen. Een beetje meer humanisme, was het idee. Wat meer respect voor het aanvoelen van het volk Gods zelf, want ook via de wil van de gelovigen communiceert de Heer. Zoiets. Het was een richting om met respect kennis van te nemen, of zelfs inspiratie aan te ontlenen.

Een ultramontaanse, fundamentalistische opleiding was het seminarie dus allerminst. Het blijkt ook al uit Clemens' keuze voor zijn slotwerk: een scriptie over *Het begrip angst*, van Søren Kierkegaard. 'De enige consequente protestant' had hij hem ooit genoemd. Clemens bewonderde zijn verzet tegen het kerkelijk instituut, tegen alles wat zich tussen de individuele gelovige en de levende Heer in wurmt, met name de lutherse staatskerk, waar de benepen moraal en zedenleer van het negentiende-eeuwse Denemarken werden bepaald, waar duizend predikanten een riant salaris genoten als rijksambtenaren, om de boodschap te verkondigen van de man die geen steen had om zijn hoofd op te leggen, die naakt stierf aan een kruis. Kierkegaard protesteerde tot zijn laatste adem: 'Wie denkt ook maar de minste steun te kunnen krijgen van anderen, die heeft het mis. Geloven betekent helemaal alleen, ieder voor zich, in de diepte springen, tegen alle redelijkheid en verstandigheid in.'

In gedachten had Clemens hem zien lopen: een kleine gestalte met een bochel, het gevolg van een ongelukkige val in zijn jeugd, gekleed in het strenge zwart dat paste bij zijn duistere levensvisie. Kierkegaard had de stem van Truman Capote, de charme van Wittgenstein, de lelijkheid van Sartre en hun gezamenlijke genie. Elke dag liep hij langs de grachten van Kopenhagen, sprak er met marktlui, maakte grappen met zwervers en flirtte met een slechte reputatie. Zijn gezondheid was broos, maar zijn geest zo origineel en lenig dat het honderd jaar zou duren voordat hij op waarde geschat zou worden. Dat had hij zelf natuurlijk als eerste door: 'Jullie zijn gewoon nog niet ver genoeg om mij te begrijpen. Wacht maar, wacht maar.' Hij klonk niet eens arrogant, meende Clemens.

Ik had verondersteld dat Kierkegaard een ongeschikt studieobject was voor de aankomende priester, tot ik uit het laatste deel van de scriptie begreep dat Clemens een verrassende parallel had gevonden met de verkondiging van paus Johannes

Paulus 11. Ze bleken haast woordelijk uit dezelfde bron te putten: vrees niet, wees niet bang, waag het gewoon om je aan de Hogere toe te vertrouwen. Laat het esthetische en ethische korset achter je en word eindelijk eens religieus. Verbind je opnieuw met de kern. Waag de sprong.

Achteraf gezien moet ik het een profetische studie noemen, vrees ik, of minstens de mentale voorbereiding op de tragiek die zou volgen. Ik denk niet dat hij het zelf in de gaten had.

Na vijf jaar ongestudiefinancierd studeren aan een schaduwhogeschool kreeg Clemens dus een stagepastoor toegewezen: Ton van der Zee, een zenuwachtige man met een haakneus, gekleed in grijs pak met 'vlooienband', een boord waarvan het wit helemaal rond zijn nek ging, en een permanente glimlach op zijn gezicht. Hij lachte alle minuten dat hij de Mis opdroeg, de enkele keer dat hij de absolutie uitsprak en wanneer een parochiaan hem verweet dat hij te streng in de leer was. Het was zijn basisemotie. Misschien hoopte de bisschop dat Clemens van Van der Zee wat vriendelijkheid zou leren, wat minder zou bladeren in de zakbijbel die hij steeds met zich meedroeg.

Ik heb begrepen dat Parochie Onze-Lieve-Vrouw Tenhemelopneming van Handel maar weinig tijd nodig heeft gehad om te wennen aan de nieuwe medepastor. Van der Zee was al jarenlang hun zachtmoedige voorganger. Ze hadden al meerdere kerstvieringen meegemaakt, paasnachten, het hele kerkelijk jaar op herhaling. Hij had tientallen dorpelingen begraven met een persoonlijke toets en een zachte handdruk van medeleven. Het was misschien het enige wat de parochianen misten: een stevige hand, iemand die met de vuist op tafel durfde slaan. Of anders iemand die ook weleens televisiekeek.

Het vrome koppel woonde in de pastorie, die op het terrein rond de kerk verscholen lag achter een grote haag van coniferen. Clemens kreeg de grootste slaapkamer toegewezen, met balkon. Zo kon hij uitkijken op de kerk, of als hij had gewild in de gaten houden wie het processiepark bezocht dat erachter lag. Daar waren de vijftien geheimen van de rozenkrans uitgebeeld: in kleine huisjes stonden witte sculpturen achter mistig glas. Ten tijde van het Rijke Roomsche Leven was dit park een levendig centrum voor pelgrimstochten, met ook nog een kruisweg vol manshoge, inspirerende beelden. Inmiddels braken armen en neuzen af, bladderde de verf, roestte het betonijzer eruit. Bezoekers beperkten zich tot een enkel kaarsje.

Clemens vertelde hoe Van der Zee hem met oprechte, bescheiden trots had rondgeleid. Hij had hem plechtig meegevoerd naar de kapel met wonderbeeld, waarvan alleen het gezichtje verraadde dat ze van hout was. Deze Maria droeg een jurk van goud en een zware kroon op haar hoofd. Aangeslibde devotie. De ruimte maakte een overvolle indruk; de kaarsenbakken had hij nog nooit zo puntig gezien en de afzuigkappen die erboven hingen, vond hij maar lelijke toeters. Over de tegels achter het beeldje durfde hij zich helemaal niet te uiten.

Wel vond hij het schip van de kerk de moeite waard, vooral het originele tongewelf. Die zag je niet zoveel. In de rust van het godshuis vertelde Van der Zee over zijn weg naar Handel, over zijn roeping, over zijn prachtig golvende haar waar een vriendinnetje zo van onder de indruk was. Toen het begon uit te vallen, was het over met de liefde. 'Geroepen als Samson,' had hij gelachen, 'maar dan precies omgekeerd!'

Hij had besloten om in Rolduc te gaan studeren, waarna hij in Limburg het vak had geleerd. Toen Ter Schure bisschop was geworden van Den Bosch, besloot hij terug te keren naar zijn geboortegrond. Zijn ouders woonden een dorp verderop.

'Ik vind het een raar idee dat ik hier al snel een preek mag gaan houden. Of een kindje dopen,' had Clemens gezegd.

'Rustig aan,' zei Van der Zee. 'Zelf heb ik mijn tijd als diaken heerlijk gevonden. Dan mag je al veel, maar draag je nog niet de volle verantwoordelijkheid. Je zult ervan genieten!' Clemens had hem verrast aangekeken en gezien dat de glimlach van de pastoor nu echte emotie uitstraalde. Hij was in goede handen.

Hij begon zijn stage met voorlezen uit de Schrift tijdens de vieringen, met misdienen en met het schrijven van een wintercursus catechese voor volwassenen. Hij ging langs bij de weduwen die de pastoor tot dan toe zelf had bezocht om hun eenzaamheid te verlichten. Hij mocht bij de vergaderingen van het kerkbestuur aanwezig zijn om de kunst af te kijken. Het waren ontspannen maanden voor de aankomende priester, precies zoals de pastoor had beloofd. Geen enkel probleem.

Toen werd zijn oma ziek. Iets met haar longen, haar bloeddruk, haar suiker, in zijn dagboek schrijft Clemens dat hij niet precies wist wat er speelde. Ouderdom, dat moest het zijn. Achtentachtig jaar. Ze was opgenomen in het ziekenhuis in Venray, waar ze ook haar beide heupoperaties had ondergaan. Hij wist de weg.

'Zien we je zo? Het zou echt fijn zijn als je snel kunt komen.' Zijn moeder had bezorgder geklonken dan hij in lange tijd had gehoord. 'Je zus wil ook heel graag dat je komt.'

Van der Zee had aan een half woord genoeg gehad. 'Natuurlijk moet je gaan!' Hij keek bezorgd en duwde hem bijna de deur uit.

Met de tweedehands auto die hij nog maar kortgeleden had aangeschaft reed Clemens naar het ziekenhuis. Op de Middenpeelweg trapte hij het gas wat dieper in, schoot langs de bermbomen, hoorde het roffelen van de autobanden op de betonplaten. Het leek wel oorlog.

Zijn moeder en zus kwamen hem op de parkeerplaats al tegemoet, hun wangen betraand. Ze grepen zijn hand, hij sloeg zijn armen om hen heen.

'Ze is net overleden,' had zijn moeder gezegd. 'Angelena was bij haar, want ik moest net naar het toilet.'

Hij suste en fluisterde woorden als: 'Het is goed, ze is op een betere plaats, het is goed zo, het moest zo zijn.' Angelena hing schokkend aan zijn schouder en zijn moeder hield een zakdoek voor haar gezicht. Clemens voelde zijn ogen niet eens prikken. In Uw handen beveel ik haar geest, dacht hij. Pas toen hij haast achteloos uitsprak: 'Ze is bij papa', voelde hij vanbinnen ook iets breken, een glazen ampul die tot dan toe intact was gebleven.

Clemens vertelde hoe Van der Zee bij zijn thuiskomst de achterdeur van de pastorie open had gehouden, had gezegd dat hij op hem had gewacht, had gevraagd hoe het was afgelopen.

Clemens had geaarzeld. 'Ik wil het graag vertellen, maar het is al na tienen. Wordt het niet te laat voor u?'

'Een enkele keer maakt niets uit. Heb je zin in een kopje koffie?' De pastoor had hem glimlachend als altijd aangekeken, maar communiceerde er nu ook bezorgdheid mee. Het bleek een verrassend veelzijdige expressie.

'Hebt u ook wijn?'

'Misschien hebben we nog een fles over van de laatste vergadering van het kerkbestuur. Ga maar vast zitten.'

Voor het eerst in de drie maanden dat hij er was, vond Clemens een plaats op de bank in de woonkamer. Hij had er nog niemand zien zitten, maar nu begreep hij waarom. Je had twee mogelijkheden: je zat overeind zonder de leuning aan te raken, of je lag achterover in een stompe hoek. Zoals bij de tandarts, vlak voordat hij je laat zakken.

De pastoor leek vastbesloten om een moment van warmte en

aandacht te creëren en kwam ook op de bank zitten. Ze schonken in.

'Laten we drinken op de zielenrust van oma,' zei Clemens. Ze lieten de glazen klinken. Ze namen tegelijk een slok.

'Ik kwam net te laat.'

Van der Zee antwoordde niet en nam nog een slokje.

Clemens dacht aan alles wat hij zou kunnen vertellen, maar de stilte in de pastorie begon hem op te vallen. Hij zag de glazen asbak op het gehaakte kleedje op de salontafel en vroeg zich af wanneer hier voor het laatst een sigaret in was uitgedrukt. Hij keek naar de pastoor, die zijn volle aandacht op de rode kleur van zijn wijn leek te richten. Hij hield het glas vlak voor zijn ogen. Het schilderij van de Sint-Jan boven de schouw deed denken aan een lugubere, langgerekte creatie van El Greco.

'Het spijt me voor je,' zei Van der Zee zacht.

'Ze was een goed mens.'

De stilte van de pastorie mengde zich in het gesprek en drukte alle ontspanning en lichtheid weg. Het was alsof ze alleen maar in dogma's konden spreken, in natuurwetten die in alle omstandigheden onfeilbaar van toepassing zijn. 'Zo gaat het', en: 'Ze is op een betere plaats', en: 'Het einde komt altijd sneller dan je verwacht.' Ze spraken om de beurt *ex cathedra*.

Toen Clemens zijn glas had leeggedronken bedankte hij de pastoor en ging naar zijn kamer.

Volgens zijn stageverslag heeft Clemens niet meer dan veertien kinderen gedoopt (Naomi was zijn eerste), eenentwintig keer een homilie uitgesproken (waaronder eentje met Kerstmis, waarin hij vertelde dat pastoor Van der Zee geen televisietoestel bezat - een dag later stonden er twee op de stoep) en zes keer geassisteerd bij een huwelijk. Hij had in totaal honderddertien keer parochianen bezocht, onder wie een vijftiental weduwen regelmatig. Hij had zeventien keer de hostie rondgebracht naar zieken die niet in staat waren om naar de kerk te komen, de pyxis in een leren etui tegen zijn borst. Twintig keer had hij het rozenhoedje voorgebeden in de zijkapel. Dat hij twee keer te laat was geweest voor de Mis omdat hij ineens naar het toilet moest, hield hij buiten het verslag. Dat hij één keer zelfs zijn gewaden al aanhad, had hij enkel met een stem vol schaamte op een van mijn tapes durven uitspreken. Net als zijn verslag van het gesprek met vicaris Lachat tegen het einde van zijn oefentijd.

De priester had met beide handen de pijpen van zijn pantalon omhooggetrokken en plaatsgenomen op de bank, terwijl hij vertelde dat hij goede geluiden had gehoord over Clemens' parochiewerk. Het was alsof hij niet meteen de juiste plek kon vinden; hij schoof drie, vier keer heen en weer. Toen hij eindelijk zijn benen over elkaar sloeg werden lange grijze kniekousen zichtbaar. Uiterst nauwgezet lepelde hij suiker in zijn thee, waarna hij langzaam roerde. In alle rust sloeg Clemens de vicaris gade en wachtte totdat hij ter zake zou komen.

'Ik doe mijn best,' had hij gezegd.

'Je doet meer dan dat, Clemens. We hebben vertrouwen in je. Heb je zelf al nagedacht over je toekomst?' De bekende vraag, die hij al sinds zijn eerste jaar in het seminarie te horen had gekregen.

'Niet echt. Ik vertrouw op de wijsheid van de bisschop. Hij weet vast wel op welke manier ik de Kerk het best van dienst kan zijn. Ik zal me laten leiden.'

Lachat knikte goedkeurend.

'Toch willen wij graag vernemen wat jou voor ogen staat.'

'De tijd bij pastoor Van der Zee heeft me laten zien hoeveel werk er in een parochie wordt verzet. Je moet elke dag klaarstaan, altijd op je best zijn. Ik vraag me af of ik al zover ben. Ik zou dus het liefst hier blijven, of anders benoemd willen worden bij een andere pastoor. Het lijkt me veel te hoog gegrepen om zelfstandig een parochie te leiden.'

'Ik zal je vertellen wat wij hebben bedacht.' De vicaris articuleerde al net zo bedachtzaam als hij in zijn kopje roerde, waarschijnlijk omdat hij niet goed bij stem was. 'Leeftijd en ervaring bieden geen garantie op succes, dat weet je. Daarbij moeten we nog afspraken maken over verder studeren. Dat wil de bisschop.'

Clemens wees de vicaris op de schaal met koekjes en dacht terug aan zijn eerste bisschoppelijke visitatie. Het was een van de vaste elementen van de jaarplanning van het Sint-Janscentrum. Volgens de Romeinse voorschriften zou de bisschop zijn seminaristen moeten bezoeken; maar die had de rollen omgedraaid. Ze gingen naar hem toe.

Een zuster had hem in de werkkamer van de bisschop gelaten en hem een stoel gewezen tegenover een schilderij van Don Bosco. De man had een regelmatig gezicht, dat leek op de vriendelijke kop van paus Johannes Paulus, maar dan met zwarte krullen. De bisschop was binnengekomen met een vel papier in zijn handen. Hij had het in stilte gelezen, terwijl hij goedkeurende geluiden had laten horen: 'Ja, ja, hmm.' Daarna had hij het verslag weggelegd en een serie korte vragen gesteld. 'Hoe vind jij dat het gaat?', 'Wat is je favoriete vak?', 'Hoe bevalt het eten? Je moet beter eten!' Clemens had niet eens antwoord hoeven geven. Tot de bisschop de onverwachte vraag uitsprak: 'Hoe zie jij je toekomst als priester?' Verrast was Clemens stamelend aan een antwoord begonnen. Hij had misschien twee woorden uitgesproken toen de bisschop hem in de rede viel.

'Ik zal je zeggen hoe ik het zie. Je werkt na de priesterwijding een paar jaar in de parochie. Daarna ga je verder studeren aan een goede universiteit, dus buiten Nederland. Daar zul je promoveren en ten slotte terugkeren naar het bisdom. We moeten bouwen aan de toekomst!'

Clemens had zich tegelijk overvraagd en vereerd gevoeld. De vicaris pakte eindelijk de bastognekoek van de rand van zijn schoteltje. Hij nam voldoende tijd om eraan te ruiken, een hapje te nemen en het daarna kort in de thee te dopen. Hij sloot nog net niet zijn ogen toen hij het in zijn mond nam en er behoedzaam aan sabbelde.

'Is er een vakgebied waar je voorkeur naar uitgaat? Heb je daar al over nagedacht?'

'De eerste keer dat ik deze vraag kreeg, van de bisschop, heb ik aangegeven dat filosofie mijn grootste interesse heeft. Kierkegaard, weet u wel.'

'Daarvan hebben we er al genoeg. Ook mannen met meer talent voor dat vak dan jij. Wat is je tweede keus?'

'Psychologie. Een priester die ook psycholoog is, zou veel goeds kunnen doen volgens mij.' Clemens zag dat de vicaris een smetteloze zakdoek uit zijn colbert haalde om een kruimel weg te vegen. Hij zweeg tot deze taak was verricht. Daarna vouwde hij de doek op en borg hem weg.

'Dat wordt een veel te lang en kostbaar traject. We wachten wel totdat de Heer een psycholoog roept. Wat denk je van kerkgeschiedenis? Uit ervaring kan ik je vertellen dat het een prachtig vak is.' Hij stond op met een glimlach, waardoor ineens een gouden kroon zichtbaar werd. 'Wellicht is het nog te vroeg om het hier al over te hebben.'

Buitengewoon verheffend

Aan het einde van de stageperiode begaf Clemens zich naar de abdij Koningsoord. Samen met de jonge gastenzuster in het zwart-witte kleed van de trappistinnen stond ik hem op te wachten. Hij was ruim een kwartier te vroeg, anders dan zijn jaargenoten, die binnendruppelden zoals het hun uitkwam. Clemens draaide met zijn motorfiets het terrein op, stapte af en reageerde afhoudend op de begroeting van zuster Bernardine. Iets te amicaal naar mijn zin, kon ik hem horen denken; een beetje afstand graag. Ze ratelde dat het hele klooster voor hun komst had gebeden, dat alles in gereedheid was gebracht en dat ze mochten ontspannen. Onder haar middeleeuwse kleed was ze ongetwijfeld een levendige, moderne vrouw van misschien net dertig. Hoeveel mannen zou ze zien per jaar, vroeg ik me af terwijl Clemens zijn motor op de middenbok trok, en zou ze hen tellen? Ze sprak in elk geval enthousiaster met haar leeftijdgenoten dan met mij.

'Wat verrassend dat u met zo'n vervoermiddel komt,' ging ze verder, en ze kwam met vragen over het gewicht, het aantal cilinders, de brandstof. Ze hield niet op. Clemens gaf ook mij een stevige hand, waarna hij zich ineens leek te ontspannen. Misschien had hij gezien dat de wenkbrauwen van Bernardine aan de pluizige kant waren: altijd een goed teken, als een zuster zich niet epileert.

Ik ging hem voor naar het gastenverblijf, waar ik hem zijn eigen kamer wees, inclusief kromgetrokken plankenvloer, terwijl de zuster wachtte op de rest. Ik reikte hem het programma van het klooster aan – de tijden van het gemeenschappelijk gebed, de maaltijden.

'Je bent natuurlijk van harte welkom bij alle diensten, maar ik kan je niet aanraden om bij het nachtelijke officie aanwezig te zijn.' Ik wees op de metten. 'Als je elke dag om halfvijf je nachtrust onderbreekt, dan ben je aan het eind van de week gebroken!'

'Ik was het wel van plan.'

'Het kost maanden om aan het kloosterlijk ritme te wennen, ik weet er alles van. Het is een van de redenen waarom het werken in het seminarie me zo bevalt. Ik zou niet gaan experimenteren met je slaappatroon. Zie deze week maar als een tijd waarin alles mag en niets moet.'

Ik liet hem achter in de cel van het klooster. Nog één week zonder zorgen. Alleen de bisschop wist nog waar hij na de wijding zou gaan werken. Eerst zou hij afscheid nemen van Handel met een eerste Mis en een receptie, daarna van het seminarie. Ik ben er zeker van dat hij er nauwelijks aan durfde te denken.

We aten die avond in een afgesloten deel van de refter, een ruimte waar ik het als retraiteleider voor het zeggen had. We zaten aan tafels van zes, net als in Den Bosch. De aankomende priesters waren een halfjaar eerder gewijd tot *transeunt* diaken, een voorbijgaande, zogenaamd lagere trap van priesterschap. Alle negen hadden ze hun celibaatsgelofte uitgesproken en gehoorzaamheid beloofd ten overstaan van de bisschop en de verzamelde geloofsgemeenschap. Als symbool hiervan droegen zes van de negen een donker pak met een priesterboord. De rest knoopte een das. Verschillende verpakkingen van hetzelfde presentje.

'Wat heb ik er zin in!' zei Clemens na mijn tafelgebed. Ik keek verrast naar de aankomende priester en legde mijn vinger op de lippen. Clemens boog zich gehoorzaam over de soep en lepelde het zachte vlees naar binnen, de slappe sliertjes vermicelli. Bijna net zo lekker als in het seminarie.

Later vertelde hij me hoe hij naar Budel was gereden, voor de laatste keer als diaken. Angelena had zijn helm aangenomen, het motorjack opgevouwen en in een hoek gelegd.

'Het blijft een gek idee dat je over een week priester bent,' had ze gezegd. Haar blonde haar had ze laten groeien en het viel nu mooi langs haar gezicht. Ze was niet mollig meer en studeerde aan de pabo.

'Over acht dagen,' corrigeerde Clemens haar.

'Het blijft raar,' zei ze.

'Over een jaar heb jij ook je eigen groep,' lachte Clemens. Zijn moeder was van boven gekomen, en nog voordat Clemens zijn laarzen had uitgedaan, klemde ze hem tegen zich aan. Ze had niets gezegd, maar hij had alles begrepen. Hij kende haar door en door. Ze hadden een appeltaart voor hem gebakken.

Clemens nam de borden van zijn klasgenoten aan en zette ze op de keukenwagen. Hij nam er de roestvrij stalen schalen af voor de tweede gang: kruimige aardappelen, gele boterboontjes die niet uit een pot kwamen, een schaal met koteletten die in de jus dreven. Precies wat ze in Den Bosch ook voorgeschoteld kregen. Misschien bestond er een vakopleiding kloosterkoken. Hij zag uit naar de vrijheid om zelf te kiezen, al hoorde het eigenlijk niet uit te maken op welke brandstof je lijf liep. Had Franciscus van Assisi zijn broeders niet opgedragen om

.

met bedelen in hun voedsel te voorzien, zonder enige voorkeur uit te spreken? Hij had beschimmeld brood gegeten, koude worstjes, rotte appels. Zure wijn gedronken. Maar zijn maag was wel van staal.

Op zijn kamer haalde Clemens een nieuwe biografie uit de motorkoffer, René Fourreys *Jean-Marie Vianney Vie Authentique*. Alle Nederlandse hagiografieën van de heilige pastoor had hij inmiddels wel geconsumeerd. Hij was blijven steken bij het hoofdstuk over La Providence, het internaat voor weesmeisjes dat hij had opgericht. Charitas. Halverwege het jaar 1830 had de instelling geen cent meer in kas en vele monden te voeden. De bezorgde molenaar bracht de pastoor ervan op de hoogte dat hij de voorraad bijna had verbruikt, maar die haalde zijn magere schouders op. Maak je geen zorgen, er zal in voorzien worden. Een dag later lag de zolder helemaal vol. De biograaf noteerde zijn twijfels over de betrouwbaarheid van dit wonder, maar de parochie wist het zeker: die korrels kwamen van boven.

Clemens had het raamgordijn niet dichtgetrokken en had zijn kleren nog aan. Hij had alleen zijn gladde oxfords uitgeschopt en het boordje uit zijn hemd getrokken. De metten waren voorbij voordat hij het wist, de lauden ook.

Die hele week zou hij na het avondeten in slaap vallen; bij geen enkel nachtelijk gebed zou hij aanwezig zijn. Het was alsof de demon van de slaap in dit klooster meer macht bezat dan in de parochie.

Vrijdagochtend halfzeven, het laatste ochtendgebed in de retraite. Van de gezichten van de aankomende priesters was de spanning af te lezen. Ze staarden strak in de getijdenboeken die de zusters gebruikten, volgden ingespannen de psalmteksten in de dichterlijke vertaling van Ida Gerhardt en Marie van der Zeyde. Een andere vertaling dan in hun eigen brevier, maar dezelfde brontekst.

Bij de aanhef van psalm 139 stak het verschil tussen de wereldheren en regulieren pijnlijk uit: 'Gij kent mij, Heer, en Gij doorschouwt mij, Gij ziet mij, waar ik ga of sta.' Een tekst die Clemens dierbaar was, wist ik. Maar op deze ochtend doorgrondde God hem ineens, en meer. In dit convent moest de ongecensureerde versie gebeden worden: 'O God, sla de bozen dood. Moordenaars, ga weg van mij. De vijand beroept zich op U, maar hij misbruikt Uw naam. Zou ik, Heer, Uw haters niet haten, niet met afschuw zien die U trotseren?' Gespierde taal voor de God van Liefde.

De lichte vrouwenstemmen slaagden er niet in om de scherpte van de psalm te verhullen. De voorzanger zette een nieuwe hymne in; iedereen volgde, behalve Clemens. Met een ruk stond hij op, zag ik vanuit mijn ooghoeken, duwde iemand opzij en stapte op het houten parket van de kloosterkerk. Iedereen hoorde zijn zolen, iedereen keek op. Ik zag de verstoorde blik van een medestudent die het hoofd schudde, zag daarna hoe Clemens naar de sacristie wankelde. Hij opende nog net de deur en viel toen voorover.

Toen hij bijkwam keek hij naar de onderkant van het wierookvat dat naast de deur aan een standaard hing, vlak boven de grond.

'Zo heb ik het nog nooit bekeken,' sprak hij zacht. Hij sloot de ogen weer.

Iemand draaide hem op zijn rug, beurde hem op en legde een natte doek op zijn hoofd. Bernardine natuurlijk. 'Leun maar op mij,' zei ze. Medestudenten keken bezorgd door de deuropening. Ik constateerde dat hij in goede handen was.

'Misschien heb ik toch te veel gebeden deze week,' sprak hij glimlachend. Een medestudent raakte met zijn vinger de bult op zijn voorhoofd aan, als om hem te keuren. De zuster duwde zijn hand opzij. 'Laat hem nou even!' Ze beschermde hem zodat zijn krachten konden terugkeren.

'Gaan jullie maar verder met het gebed,' zei ze. 'Ik zorg wel voor hem.'

Ze hielp hem voorzichtig overeind en zou hem begeleiden naar zijn cel, waarbij ze zijn arm stevig ondersteunde. Het leek wel een dronken stel na een zware avond.

'Ik ben alweer in orde,' hoorde ik hem nog zeggen.

Zijn verheffing in de priesterstand vond plaats, zoals alle wijdingen in twintig eeuwen christendom, op een zaterdagmiddag in een kathedraal vol bisschoppen, priesters, koorzangers, misdienaars en acolieten. En gelovigen natuurlijk. Alle luister die Christus' Lichaam op aarde toekomt was uit de mottenballen getrokken of opgepoetst meegedragen, een oefening in vroomheid die het toeristische centrum van de provinciehoofdstad tijdelijk veranderde in een ademende, bruisende gemeenschap. Dat ze zich bevonden in een ruimte vol grafzerken, onder de kale ribben van een puntig drakendak, tussen zuilen vol ongeverfde heiligenbeelden die neerkeken op een letterbak vol leken, scheen niemand op te merken.

Men was gebiologeerd door een sliert van geselecteerde mannen, die onder begeleiding van eeuwenoud gregoriaans gezang van de sacristie naar de doopvont voorin wandelde en terug door het middenpad. Voor het effect. De rij werkte zich door de immobiele massa in het schip, die meezong en meebad, zich inlevend in het groepje dat gezegend zou worden. Zij waren de medeplichtigen aan het sacrament, stonden erbij. Maakten foto's.

Voor Clemens en zijn collega's was de viering als een droom die eindelijk uitkwam, de première van een stuk waarin ze na vijf jaar *understudy* eindelijk de hoofdrol speelden. Ze gingen kopje-onder in het mysterie en zouden herschapen opstaan. Anders dan bij zijn eerste communie had Clemens zich er niet veel van voorgesteld, zich innerlijk gewapend tegen teleurstelling. Misschien voelde hij niets, waarschijnlijk was de hand Gods onwaarneembaar. Om zijn aanwezigheid te ervaren was een bijzondere bijkomende genade nodig – nóg een gave. Voor de geldigheid van de wijding was het hart overbodig.

Hij wandelde rustig door de kerk, zag zijn moeder en zus, andere familieleden, maar vergat hun aanwezigheid zo gauw hij voorbij was. Even bleef hij hangen aan de knipoog van Vincent, zijn opgestoken duim. Grappige kerel. Jammer dat ze elkaar zo weinig zagen.

Aan het eind van de processie stelde hij zich in het midden op, met dank aan de D van Driessen. Ondanks de repetities van die ochtend was Clemens verrast: het was geen verdienste dat alles om hem leek te draaien, maar dat deed het wel. Een bijzondere genade, al was deze slechts geometrisch. Een misdienaar reikte de kandidaten een witte kopie aan met de letters van het ritueel, overgenomen uit het episcopale. De wandeling was voorbij; nu kwam het juridische deel. Clemens deed zijn geloften en ging de rij met bisschoppen en priesters langs voor handoplegging, beloften en vredeswens – verbale affirmaties, minimale gebaren. Hij voltrok wat men van hem verwachtte, wat hij zelf zich had voorgenomen te doen. Niemand dwong hem. Ondanks zijn drieëntwintig jaar wist hij precies waar hij mee bezig was. Tenslotte stond het op papier.

Bovendien voorzag de wijsheid van de rubrieken na elke prikkelrijke fase in het ritueel in een moment van afkoeling. Zoals toen de kandidaten tegelijk op hun knieën gingen, zich uitstrekten, het voorhoofd tegen de vloer voor de litanie van Alle Heiligen. De verzamelde gelovigen stonden recht terwijl Clemens zich vernederde tot hij niet meer was dan een vloer-

kleed. Engelen, aartsvaders, apostelen, evangelisten, marte-
laren – de gehele voorchristelijke en vroegkerkelijke wereld
werd ingeroepen om te lobbyen bij de ene Heer. Maagden, pa-
troonheiligen, priesters – steeds weer klonk op hun naam het
imperatief: BID VOOR ONS. *Ora pro nobis.* Golf na golf sloeg het
over de negen wijdelingen. Ademloos in de branding. Rijzend
getij. Wie dit overleefde was geen mens meer.

Je ziet het aan de foto's na afloop, ik meen het te zien. De
neomisten knijpen met hun ogen alsof ze lang in de zon hebben gekeken, onder de indruk van een ervaring die ze niet in
woorden kunnen vatten. Nog lang niet. Het rode kruis op hun
kazuifel van ruwe zijde deed misschien denken aan het uniform van kruisridders, maar deze mannen waren niet getraind
om de geseculariseerde samenleving te heroveren voor God.
Hier stonden geen tempeliers, geen gestaalde missionarissen
die zich met gevaar voor eigen leven onder de heidenen zouden begeven. Clemens' gelaat was bleek, hij had donkere kringen onder zijn ogen. Hij zag eruit alsof hij het anorectische
voorbeeld van Christus aan het kruis letterlijk had genomen.
Wie goed keek, zag een bult op zijn voorhoofd.

Na afloop van de intensieve retraite had ik verwacht en eerlijk gezegd gehoopt dat Clemens me voorlopig niet meer nodig
zou hebben. Ook volgde op de wijding een staande receptie
in het centrum, voor alle parochianen, vrienden en familie, en
voor Clemens nog een luxe diner in Chalet Royal, hem en zijn
gezin aangeboden door een anonieme weldoener. Niettemin
vond hij de tijd om aan te kloppen op het ruitje van Byzantijns
glas naast mijn deur. We spraken over de geslaagde, emotionele dienst, maar niet lang; de neomist kwam liever ter zake.

'Pater, is het niet zo dat de hostie het belangrijkste en heiligste goed is in onze Kerk?'

De bekende retorische openingsvraag. Ik humde.

'Als die hostie zo belangrijk is, het Lichaam van Christus zelfs, dan moeten we daar toch voorzichtig mee omgaan? Ik bedoel: we weten toch dat God niet gelukkig is met heiligschennis of met een onzorgvuldige omgang met het heilige Brood?'

'Waar wil je naartoe?'

'Paulus zegt dat we onszelf moeten onderzoeken voordat we van het brood eten en uit de beker drinken. En als we onwaardig het brood eten of uit de beker van de Heer drinken, dat we onszelf dan bezondigen aan het Lichaam en het Bloed.'

'Ga door.'

'Volgens mij leert de Kerk nog steeds dat we onszelf moeten onderzoeken en dat we alleen ter communie mogen gaan vanuit een zuivere geest en zonder zware zonden op ons geweten. Dat gedeelte van de woorden van Paulus hebben we serieus genomen. Maar hierop volgt dat mensen die het brood eten en uit de beker drinken zonder Christus te erkennen, hun eigen vonnis eten. Hij zegt zelfs dat er daarom zovelen ziek en zwak waren in Corinthe, en een aantal gestorven. Is dat niet vreselijk? Mensen kunnen ziek worden van de hostie wanneer ze te weinig geloof hebben. Begrijpt u waarom ik dit zo'n lastige Schriftpassage vind? We nemen sommige teksten letterlijk over; andere strepen we weg. Het ene deel nemen we serieus, maar het andere vergeten we te vertellen.'

'Je leest de Schrift met aandacht, jongen, dat doe je goed. Ik begrijp ook je bezorgdheid. Je wilt vanuit een zuivere geest de eenheid met de Heer beleven. Dat is een nobel streven. Maak je dus niet te veel zorgen. Zolang je deze vragen stelt, ben je op de weg van het heil.'

'Maar daar ligt mijn bezorgdheid niet. Ik zie zelf ook wel dat ik goed bezig ben.' Hij slikte en kleurde, alsof hij zich ineens realiseerde hoe hoogmoedig hij klonk. Snel ging hij door.

'Maar straks, als ik pastoor ben, dan wordt alles anders. Dan zal ik de hostie moeten uitdelen aan mensen die er waarschijnlijk nauwelijks in geloven. Maar onder mijn verantwoordelijkheid! Weet u hoe weinig mensen nog echt geloven in de hemel en de hel, in het laatste oordeel? De meesten doen maar wat. Ze denken dat ze geloven, maar scharrelen alleen wat vage denkbeelden bij elkaar uit alle religies ter wereld. Geen samenhang – dit wel, maar dat niet. Inconsequent als de hel.'

'Sorry?'

'En dan nog iets: weet u hoe weinig er buiten het seminarie nog gebiecht wordt? In de gemiddelde parochie zijn dat maar drie of vier mensen per jaar. Allemaal oude mensen ook nog. Terwijl de paasbiecht toch echt als een zware verplichting in de nieuwe catechismus genoemd wordt. Een doodzonde dus! In een normale Nederlandse parochie mag in feite niemand ter communie gaan. Niemand!'

Op betere dagen deed zijn vurigheid denken aan Bernardus of Jeanne d'Arc. Een nieuwe kruistocht! Weg met hypocrisie! Zuiverheid op aarde! Onverdraaglijk aanmatigend.

'Ho eens even. Wie ben jij eigenlijk om over die mensen te oordelen, jongen? Vertel dat eerst eens. Je spreekt hier over gedoopte, volwassen christenen. Je weet niet precies wat er in hun harten omgaat! Die mooie wijding van jou geeft je geen toegang tot hun geweten. Mensen besluiten zelf in volledige vrijheid om al dan niet ter communie te gaan. Onze Kerk is een gastvrije Kerk; alle mensen van goede wil zijn er welkom. Waag het niet om iemand uit te sluiten. Alleen wie zonder zonde is, werpe de eerste steen!' In gedachte voegde ik eraan toe: farizeeër! Kerkjurist!

Zeldzaam boos was ik op de jonge man, mogelijk zelfs onredelijk. Achteraf weet ik niet waar mijn emotie vandaan kwam. Misschien had ik tijdens onze vele gesprekken toch wat te vaak gespiegeld en non-directief geluisterd zonder een oordeel te geven, hoe middeleeuws en dogmatisch hij zich soms ook opstelde. Ik wist mijn christelijk humanisme lastig te verdedigen tegen zijn kritiek.

'Niemand mag op de stoel van God gaan zitten, niemand!' Onder mijn woorden boog Clemens zijn hoofd. Hij leek zich eindelijk te realiseren dat hij te ver was gegaan.

'Dus we moeten maar meewerken aan het kwaad.' Dunnetjes klonk zijn stem, geknepen.

'We mogen niet oordelen. Je weet niet eens of het kwaad is wat er gebeurt. Je weet het niet zeker, niet voor de volle honderd procent.'

'U vraagt me om Paulus' woorden te vergeten.'

'Is hij niet ook de man van het Hooglied der Liefde? Alles verdraagt zij, alles gelooft zij, alles hoopt zij, alles duldt zij. De liefde vergaat nimmer.'

'God is liefde,' sprak hij zacht.

'En waag het niet dat een van deze kleinen zijn geloof verliest door jouw toedoen,' voegde ik eraan toe.

Langzaam ebde mijn woede weg en was zijn verzet verdwenen; met de vingers in elkaar gestrengeld en het hoofd gebogen zat hij naast me. Hij vroeg niet om een biechtgesprek, stelde geen vragen meer. Sprak me niet meer tegen. Hij had alles geleerd.

Miljoenen

Het kost me geen enkele moeite om me voor stellen hoe de jongste priester van Nederland, bijna vierentwintig jaar oud, in de zomer van 1996 zijn nieuwe territorium binnenstapte. Met een rozenkrans in de knip, de auto volgeladen met schamele bezittingen, zijn bijbel en liturgische boeken in twee dozen. De motor zou hij later wel ophalen. Inmiddels droeg hij steeds een glimlach op zijn gezicht, had hij zijn haar kort laten knippen, inclusief scheiding. Ondanks zijn jeugd gedroeg en kleedde hij zich formeel, anticipeerde qua stijl op bezoeken aan gelovigen van alle rangen en standen, op alles wat de dag van hem zou vragen. Niets zo veelzijdig als een pak. Er paste zelfs een etui in de binnenzak voor een spoedbediening. Een buisje wijwater en een busje *Oleum Infirmorum*. Een paarse ministola. Hij was overal op voorbereid.

Elshout was een dorp van vijftienhonderd zielen verspreid over precies voldoende boerderijen en burgerwoningen, verzameld rond een kerk met smalle spits. Zijn pastorale voorganger was een herder van het verzamelende, vergevende soort. Een kind van de jaren zestig, een zachte kerkleider, van wie geen confrontatie te verwachten viel. Geen bot in zijn lijf. Clemens zou hem nooit persoonlijk spreken, maar zijn geestverwante

144

collega's des te meer. Elke vrijdag zochten ze elkaar op voor de krans, het heerlijk avondje van alle priesters in het dekenaat Heusden. Hij beschreef ze tot in detail in zijn dagboek.

'Welkom, vrienden!' Met een grootmoedige beweging had Clemens de linkerhelft van de voordeur opengegooid. Het was acht uur in de avond; een stoet morsige mannen van middelbare leeftijd en ouder liep naar binnen. Handen werden gereikt en geschud, hoofden knikten en toonden een glimlach, grijze en beige regenjassen werden opgehangen. Een enkele baret. Stropdassen werden zichtbaar en lederen schoenen stommelden door de brede en hoge gang naar de trap. De gastheer woonde boven.

'Beneden is nog niet veel gebeurd, zie ik?' De deken van Vlijmen was de jongste van het stel en op het eerste gezicht het meest betrokken. Ooit had er rossig krullend haar op zijn hoofd gestaan; inmiddels was hij een iets te zware bourgondiër. Zijn loyaliteit lag in de gepolariseerde jaren tachtig bij de gelovigen, maar uiteindelijk had hij zich geconformeerd aan de directieven uit Den Bosch. Zonder buiging geen podium; inmiddels schreef hij wekelijkse columns in het bisdomblad.

'Ik heb al een brief gestuurd aan de bisschop. Hopelijk geven ze toestemming om ook beneden te beginnen.'

'Waarom niet? Er is genoeg geld in kas.'

'Miljoenen.'

'Elshout staat erom bekend. Jaarlijks stromen de pelgrims naar Onze-Lieve-Vrouwe, elk weekend brengt dan duizenden guldens in de offerschaal. Om over de opbrengst van het verkochte klooster nog maar te zwijgen. Aan knaken geen gebrek. Dus het bisdom ligt dwars?'

'Precies. Voor elke uitgave boven de tienduizend gulden moet Bossche toestemming komen, maar ze weigeren vlakweg. Terwijl ze wel hebben ingestemd met de restauratie van de bovenetage.'

145

Inmiddels was iedereen daar ook aanbeland. Ze liepen over een zandkleurig hoogpolig tapijt, waarin het spoor van hun hakken zichtbaar bleef. Ze voelden aan de witte muren met glasvezelbehang, zagen de eindeloze banen handgeverfde gordijnen en waren onder de indruk. De glasgordijnen zagen eruit als natuurzijden voiles en hingen tot over de vernieuwde vensterbanken. De oude pastorie was omgetoverd in een representatieve, comfortabele herdershut.

'En hoe zit het met de faciliteiten?'

'Bij de tijd gebracht natuurlijk.'

In de keuken toonde Clemens een aanrecht dat zich over vijf meter uitstrekte, neutrale kasten boven donkere vloertegels, die het geheel een gedistingeerd aanzien gaven. Een maand ervoor was Clemens met een lid van het kerkbestuur naar een bedrijf gereden waar hij zijn keuze moest maken. Hij had me verteld hoe ongemakkelijk hij zich had gevoeld bij zijn vrijheid. Hij had gelachen dat hij het al spannend vond om een enkele banaan te kopen in de supermarkt.

Ook had hij de kerkmeester nog gevraagd naar de kosten, maar die zei hem dat hij zich geen zorgen moest maken. Het bestuur was voor de zakelijke gang van zaken. Bovendien had de parochie eindelijk toestemming gekregen voor de verbouwing, en dus moest het budget helemaal benut worden. Waarom zouden ze hun kostbare kapitaal afdragen aan Den Bosch? Op zijn opmerking dat het toch maar één Kerk was, had de man gelachen en gezegd: 'Dat is de theorie, meneer pastoor. De praktijk is heel anders. Dat zult u nog wel leren.' Daarop wees hij hem op tegels, links en rechts. In een razend tempo had de jonge priester over de stoffering van zijn appartement besloten; niet denken, maar kopen.

Hij had voor het kleurschema Woestijn gekozen, een stil eerbetoon aan Antonius Abt, aan Johannes Climacus, aan Marcus de kluizenaar. Vandaar de eenvoud waarmee hij zijn kamers had ingericht. Dezelfde erfenissen en afdankertjes die de recreatieruimte van het seminarie hadden gevuld voldeden ook wel voor hem: donkereiken tweezitters, een paar fauteuils die dringend opnieuw bekleed moesten worden.

Deze avond was het geheel aangevuld met stoelen uit de vergaderzaal beneden. Sfeerverlichting ontbrak op deze bijeenkomst van vrijgezellen. Muziek op de achtergrond eveneens, want er waren halfdove priesters bij. Wel had hij gezorgd voor wijn, kaas in blokjes met een druif erop geprikt, een bakje pinda's. Zo had hij het geleerd van zijn moeder. Een donkergroen blok glas voor de sigarenas.

'Laat mij maar hier zitten, dat is prima,' besloot de pastoor van Nieuwkuijk. 'Ik heb toch zo'n pijn in mijn rug; volgens mij is deze hoge stoel de beste.'

'Zal ik een kussen halen? We zitten hier nog wel even,' zei Clemens.

'Nee, het is goed zo. De harde leuning duwt alles wel terug in vorm. Het is de leeftijd.' Hij lachte verontschuldigend en afwezig.

'Dus je hebt een brief geschreven voor het bisdom?' Toen iedereen een plaats had gevonden, ging de deken verder.

'Aan de vicaris-generaal. Hij beslist over dit soort bestedingen. Op jullie gezondheid!' Clemens hief het glas; zijn collega's volgden. Goedkeurend knikten ze naar elkaar en namen een slok.

'En op vicaris Lachat dan maar,' lachte de deken, 'de meest geliefde man van het bisdom.' Ook hierop klonken ze. Met schorre stem voegde hij eraan toe: 'Mijn naam is Lachat, Talleyrand Lachat.' Meer gelach.

'Ik heb geschreven dat ik me schuldig voel dat ik als herder van de kudde zo goed zorg draag voor mijn eigen woonomgeving, terwijl ik niet mag investeren in het pastorale bedrijf. Het primaire proces lijdt eronder.'

De priesters keken elkaar aan. Een enkeling reikte naar een stukje kaas.

'Misschien wil de bisschop het niet toestaan, omdat hij toch geen toekomst ziet voor Elshout als zelfstandige parochie.' Nu klonk de deken emotioneel. 'Het blijft trouwens onbehoorlijk dat hij jou in deze parochie heeft geplaatst zonder enig overleg. Hij heeft mij niet eens als administrator benoemd.'

'Het is een blinde tombola, die benoemingen,' zei de pastoor van Drunen.

'Toch is het beter dan onder de oude Mutsaerts. Hij was net zo autoritair als Ter Schure, maar meende daarbij ook een dichter te zijn. Hij plaatste kapelaan Zwart bij pastoor Wit, en kapelaan Muis bij pastoor Kat. Serieus!' Weer had iedereen gelachen.

De hele avond bewogen de priesterkoppen niet anders dan de knikengel bij de oude kerststal in Clemens' thuisparochie: het kleinste muntstukje volstond, een knoop ook. De suggestie van een clou.

De volgende avond, vlak voor de avondmis, bracht zijn koster de boodschap dat de pastoor van Nieuwkuijk was overleden. Hij had wakker gelegen in de nacht; de pijn in zijn onderrug was erger geworden. In de namiddag was hij gestorven, op weg naar een vergadering van zijn kerkbestuur. Een aneurysma.

Clemens had zijn moeder gebeld na de dienst. 'Mam, vanmiddag is er een pastoor uit het dekenaat overleden. Hij zat dood te bloeden in mijn woonkamer, terwijl wij flauwe grappen maakten en wijn dronken. Hij bloedde vanbinnen. Het leek op spierpijn, maar dat was het niet. Een leven lang heeft hij zich ingezet als herder, als priester voor de Kerk. Nu is het zomaar voorbij.'

'Welke collega?'

'De pastoor van Nieuwkuijk.'

'En hij bloedde op jouw nieuwe tapijt? Zonde, zeg.'

Zijn dagen liepen over van de achteloze, vriendelijke ontmoetingen waar relaties uit bestaan. Hij ging langs bij bejaarde buren, bracht wekelijkse bezoeken aan chronisch zieken of rouwenden in de parochie, aan oma's van wie de kinderen ver weg woonden, aan een bordurende dame, ongehuwd gebleven, die hem verse thee bereidde die ze uitschonk in kostbaar porselein. Hij liet zijn gezicht zien bij zo veel mogelijk vrijwilligers thuis, bezocht de vergaderingen van zijn zangkoren, schoof aan bij de schoonmaakgroep. Hij ontwikkelde een afwachtende houding. Zijn parochianen knikten, riepen of zwaaiden toch al voordat hij ze zelfs maar had opgemerkt. Zijn wandelingen door het dorp bestonden uit een voorspelbare serie van weerkaatsingen van andermans gebaren. Men kreeg wat men gaf.

De deur uit sloeg hij meestal rechts af, de kerkstraat in, een lange klinkerweg waar de boerderijen dwars op stonden, met de kopse kant naar voren. Typisch voor de streek. Bij alle gemoedelijkheid waren deze Brabanders ook eigenzinnig en zelfbewust. Hun religiositeit was in de loop van de decennia uitgegroeid tot een modern geloof, waar persoonlijke expressie en vrijheid een wezenlijk deel van uitmaakten. Zo had Clemens' voorganger het gewild. Het moest wel misgaan.

'Valse start van jonge priester,' kopte het *Brabants Dagblad* in zijn eerste zomer in Elshout. Het bericht werd overgenomen door het *Katholiek Nieuwsblad*, *Trouw*, het *AD* en ten slotte ook door *Goedemorgen Nederland*. Met dank aan de komkommertijd, natuurlijk, en aan de eeuwige honger naar rare verhalen.

De geboorte van een nieuwe *minor celebrity* uit het veelkoppige mediamonster was een feit.

'Wat is er precies gebeurd, Clemens, dat er ineens vervelende berichten verschijnen?' Ik had hem bezorgd aangekeken.

'Ik had u toch verteld van mijn erfenis in Elshout? Mijn voorganger had de kerk in feite in de handen van de gelovigen gelegd. Iedereen mocht zelf de dienst uitmaken, letterlijk. Ze namen een gedichtje van Phil Bosmans hier, een liedje van Toon Hermans daar, kopieerden uit een derde bron, en voilà: een heilige Mis. U wilt niet weten wat ik allemaal voor onzin aantrof in die zelfgemaakte misboekjes: de boodschap van de revolutionair Jezus van Nazareth is "Wees lief voor elkaar". Meer niet. Hij zei tijdens het laatste avondmaal: "Deel wat je hebt met anderen, wees geen egoïst." Geen woord over zonde of verlossing.'

'Je parochianen zijn natuurlijk geen theologen of liturgen. Waarom heb je ze niet met zachte hand geleid naar betere teksten? Bijvoorbeeld door te spreken over je eigen geweten, dat je net van het seminarie komt en dus liever hebt dat iedereen zich aan de kerkelijke regels houdt? Daar hebben ze meestal wel begrip voor.'

'De eerste gesprekken verliepen ook goed. Het waren jonge mensen, net als ik. Ze wisten van niets en wilden alleen maar trouwen. Met de jeugd had ik geen probleem. Zij hadden hun boekjes al samengesteld en gekopieerd omdat mijn voorganger ze had goedgekeurd, maar de meesten wilden er nog wel aan sleutelen.'

'Wat ging er dan mis?'

'Hun ouders accepteerden het niet. Zij gingen al hun hele leven naar dezelfde kerk en dachten dat ze het goed deden. Ze waren er opgegroeid en getrouwd. Ineens kwam die jonge priester de teugels aanhalen en zeggen dat het niet goed was.

Ik heb geprobeerd om het uit te leggen, wilde vertellen over onze eeuwenlange tradities, laten zien dat er heus wel ruimte is voor een gedicht of een mooi lied. Het maakte me niet uit wat ze wilden zingen, zolang ze maar van het evangelie en het eucharistisch gebed afbleven. En de trouwbelofte natuurlijk. Weet u dat ik een misboekje heb afgekeurd waarin stond: "We beloven bij elkaar te blijven zolang het voor ons beiden nog fijn is"? Hoe had ik dat kunnen laten passeren?'

'Je had goede redenen om in te grijpen; als de formule niet klopt, vindt het huwelijk formeel gezien niet eens plaats. En toen?'

'Een moeder kwam aan de deur van de pastorie. Huilend. Het brak mijn hart om het te zien. Ik verstond niet precies wat ze zei, maar het kwam erop neer dat ze zich ineens niet meer welkom voelde. Haar kind had ik weggejaagd naar een andere pastoor.'

'Wat deed jij?'

'Ik wilde haar opvangen en geruststellen, probeerde te zeggen dat ik niemand wegjoeg, maar ik kwam niet uit mijn woorden. Ik keek haar alleen maar aan, met tranen in mijn ogen. Ze wachtte en ik hield mijn mond. "Het is jouw eigen schuld!" Dat zei ze ten slotte. Mijn schuld.' Clemens klopte op zijn borst. 'Later sprak ik erover met het kerkbestuur, en toen zei een van hen dat ze het wel zou gladstrijken. "Volgens mij kan ik beter gaan, want u maakt het misschien wel erger," zei ze. "U bent altijd zo eerlijk." Maar de waarheid is dat ik te laf was om het zelf op te lossen.'

'Heeft het geholpen?'

'De familie ging naar de deken, die het huwelijksboekje wel goed genoeg vond. En toen kreeg ik dat telefoontje.'

'Telefoontje?'

'Van het *Brabants Dagblad*. "Is het waar dat u hebt geweigerd om acht stellen te trouwen omdat ze al samenwonen?" Ik wist niet wat ik moest antwoorden. Daar was ik niet op voorbereid, natuurlijk.'

'Niemand heeft ooit aan mediatraining voor jonge priesters gedacht. Wat zei je? Je ontkende toch wel alles?'

'Ik was veel te eerlijk. Ik zei dat het samenwonen er niets mee te maken had, want als ze trouwen is tenminste die zonde voorbij. Daarna zei ik dat er maar vijf stellen hadden afgehaakt. En twee daarvan waren zich nog aan het oriënteren. Toen ze hoorden dat ik ze niet de vrije hand gaf in het misboekje, kozen ze voor een parochie waar ze die wel hadden. Mijn collega's vingen ze op.'

'Wat vind je nu?'

'Ik heb vooraf nog met de bisschop zelf gebeld en gezegd dat de boel zou klappen als ik zou vasthouden aan de kerkelijke regels. Hij benadrukte dat ik geen uitzondering mocht maken, ook niet in het begin. Anders kon ik nooit meer terug. Dus heb ik maar volgehouden.'

'Heb je nog gesproken met de uitgeweken parochianen?'

'Laatst heeft een van hen een lekke band voor me verwisseld. Hij was heel vriendelijk. Ik mag hun kind dopen.'

'Je bent een herder gebleven.'

Met een scherpe knik boog Clemens zijn hoofd. Hij ademde moeilijk en even leek het alsof hij werkelijk emotioneel zou worden. Hij slikte het weg.

'Ik heb fouten gemaakt, pater. Ik zou graag willen biechten.'

Hoe conservatief en confronterend ook, Clemens bracht een zekere vernieuwing en herbronning op gang, een nieuw elan. Al was het maar doordat hij voor elke viering een nieuwe preek uitschreef, in plaats van de stapel standaardpreken te plunderen. Soms vroeg iemand er nog naar: 'Gaat u deze zondag weer die grap vertellen over de langharige Samaritaan?' Dan lachte hij vrolijk mee, blij dat het kerkbestuur de oude papieren van zijn voorganger had opgeruimd. Stel je voor, zeg.

Parochianen klampten hem aan alsof hij de ombudsman was, eindelijk konden ze verhaal halen. Hun vertelling, waarin de zonden van zijn voorganger vol verontwaardiging in scherpe kleuren werden uitgetekend. Oude grieven. Het dorp benadrukte zijn grootste ondeugd, de *Avaritia*: hij zou illegaal stroom aftappen van de buren, zijn schaapjes alleen bezoeken tijdens etenstijd en dan het beste en grootste stuk vlees naar binnen schrokken, de garage van de pastorie volstouwen met andermans erfstukken. De *Luxuria* van de man richtte zich uiteraard op zijn misdienaars, die nooit lang bleven. Zijn *Acedia* bleek uit zijn slechte conditie, uit het genot waarmee hij zich liet rondrijden door al te vriendelijke buren, uit de missen die zo kort waren omdat hij snel weer koffie wilde slurpen bij parochianen die geen nee konden zeggen. Dergelijke verhalen had hij in Handel niet gehoord, maar dat maakte ze nog niet geloofwaardig.

Clemens ging ermee om zoals hij in het seminarie had geleerd: als het onvermijdelijk was, hoorde hij de roddels aan. Bevestigde noch ontkende. Stapte over op een nieuw onderwerp, iets luchtigs, desnoods het weer. Nodigde hem of haar uit om te komen kijken bij een dienst, 'Als je wilt, hoor, als je eens tijd hebt.' Geen discussie, dat vooral niet. Misschien lag hier wel de reden dat het kerkbezoek in de eerste maanden na zijn komst een lichte stijging vertoonde. Het bestuur verbaasde zich; zijn koster mompelde regelmatig dat hij met iemand had gesproken die hij lang niet in de kerk had gezien, een schaap dat verloren was geraakt. Clemens voelde zijn borst dan gloeien van trots, alsof het zijn verdienste was.

Anna van Erp-Paulowska was een van hen. Ze woonde vlak

bij de basisschool en had hem al eens op straat aangesproken: 'Ik begrijp uw standpunt over de liturgie uitstekend, meneer pastoor. Bij ons in Polen zou het ook ondenkbaar zijn om het ritueel aan te passen.' Ze sprak accentloos Nederlands, droeg een eenvoudig maar elegant jurkje, een sjaal die kunstzinnig om haar schouders lag. Ze riep haar twee feeërieke kinderen die vooruit waren gelopen, droeg hun op om een hand te geven, zich voor te stellen. Lyrica en Sébastien.

'Ze hebben het niet gemakkelijk op school, meneer pastoor. Het dorp staat niet echt open voor mensen van buiten, wist u dat?'

Die avond zag hij haar tot zijn verrassing achter in de kerk zitten, al ging ze niet ter communie. Haar dochter leunde afwezig tegen haar zijde, was misschien vijf jaar oud. Lyrica – wie geeft haar dochter nu zo'n naam, dacht hij. Toch voelde hij zich gevleid dat ze was gekomen. Na afloop was ze verdwenen zonder iets te zeggen.

Ze kwam in de weken die volgden regelmatig naar een viering, ging bescheiden achterin zitten en nam geen deel aan de communie. Ze bleef bij haar dochter en was aan het einde van de dienst verdwenen. Tot ze hem een keer uitnodigde voor een gesprek, tijdens schooluren. Dan konden ze rustig praten.

Haar huis was een van de grotere houten chalets aan de rand van het dorp, luxe woningen met een warme uitstraling. Hij moest voorbij een gele MG op de oprit schuiven om binnen te komen en was onwillekeurig onder de indruk. Toen hij haar een complimentje gaf, wuifde ze het weg: 'Onhandig ding, altijd kapot!'

Ze ging hem voor naar een strak ingerichte kamer, die in niets leek te passen bij het houten huis. Gispen-chroom, glazen salontafel, leistenen vloer. Het matchte wonderwel met zijn clericale uniform. Ze schonk zwarte koffie in roestvrijstalen bekers en begon te vertellen over haar leven, haar trieste jeugd in een communistisch land, haar verlangen om te ontsnappen, het huwelijk met een bemiddelde man die haar had misbruikt, geslagen, gevangen in een gouden kooi. Na vijf jaar waren ze eindelijk gescheiden. Voor de kinderen moest ze hier blijven, in Nederland, al had ze er geen vrienden en was ze in het dorp een vreemde eend.

'Een vreemde zwaan,' had Clemens haar verbeterd.

'Net zoals jij.'

Even werd het stil, en ongemakkelijk. Waar kwam die opmerking nou vandaan? Wat bezielde hem? Hij dronk zijn laatste koffie en wilde opstaan, maar wist niet hoe hij een tweede kopje moest weigeren.

'Nu we elkaar wat beter kennen, durf ik het eindelijk te vragen,' begon ze. 'Ik zou graag wat meer voor de Kerk willen betekenen. Het geloof is altijd een grote steun voor me geweest, het besef dat God bestaat en van me houdt, ondanks al mijn tekorten. In mijn vaderland is het geloof erg belangrijk, weet u.'

Clemens knikte.

'Ik zou kunnen meehelpen met de voorbereiding van de eerste communie; volgend jaar is Sébastien aan de beurt. Of misschien hebt u iemand nodig om u te helpen met de organisatie van uw administratie; dat lijkt me ook leuk om te doen.'

'Daarvoor hebben we al de nodige vrijwilligers, eerlijk gezegd. Ik weet dat de poetsgroep van de kerk altijd nieuwe krachten kan gebruiken, en het dameskoor. Ik zou moeten navragen of er nog andere mogelijkheden zijn. Zo goed ken ik de organisatie nog niet.'

Haar gezicht betrok en ze schudde haar hoofd.

'Laat maar. Ik heb nog een andere vraag. Vroeger hebben ze mij altijd verteld dat je niet zomaar de communie mag ontvangen, maar dat je eerst vergeving moet hebben gevraagd als je iets fout hebt gedaan. Klopt dat nog steeds?'

'Het ligt eraan over wat voor fout het gaat.'

'Juist.'

Clemens wist niet zeker waar ze nu precies over spraken; hij aarzelde om door te vragen. Het zou wel over het zesde gebod gaan; dat ging het altijd.

'Als u wilt, kunt u altijd biechten,' probeerde hij met een lichte hapering in zijn stem.

'Dat hoeft niet, hoor,' zei ze. 'Ik ken het kerkelijk standpunt over een relatie na een scheiding. Dat wordt beschouwd als overspel, hoe destructief het eerste huwelijk ook was.'

Clemens knikte en voelde de morele spagaat waar zijn Kerk deze gelovige in dwong. Anna mocht geen 'ja' meer zeggen, tot de ander dood en begraven was. Terwijl zijn eigen keuze voor het celibaat een vrijwillige was geweest, was de hare een verplichting, de voorwaarde voor vergeving, voor communie.

'Ik begrijp het,' zei hij.

'Dat zie ik wel, hoor,' zei ze, 'maar toch heb ik het gevoel dat u aan de kant van mijn ex staat. Hij wilde me ook niet laten gaan. Maar ik moet doen wat het beste is voor mijn kinderen.'

En voor jezelf, dacht Clemens, maar dat sprak hij niet uit. Hij moest wel correct blijven.

In de loop van de maanden stierven de emoties rond de huwelijksvieringen uit, verstomden de verhalen over zijn voorganger, en zakte het misbezoek weer terug naar het oude niveau en daaronder. Iedereen in zijn territorium had even aan de nieuwe herder gesnuffeld en ging verder met zijn jachtige bestaan. De normaliteit deed haar intrede en leek verrassend veel op de herhaling die Clemens in het seminarie ook al had opgemerkt. Viering na viering, Mis na Mis, zalving na zalving verliep zijn tijd even zinvol of zinloos als daarvoor. Alle diensten waren even belangrijk in sacramentele zin, net zo wezenlijk voor de eerste pasgeborene als voor de tweede en de derde en de dertigste. Ze waren van het zwaarste gewicht, en daarmee precies net zo licht, zo onbelangrijk, zo nietig als alle andere. Clemens merkte pas goed dat de verveling weer had toegeslagen toen hij zich in de lezingendienst enkel nog thuis leek te voelen bij Prediker.

'IJl en ijdel, alles is ijdel. Wat heeft de mens aan al zijn zwoegen en tobben onder de zon? Hoe meer woorden, hoe meer onzin. En wat heb je daaraan? De dwaas werkt hard en put zich uit, maar hij weet niet eens hoe hij in de stad moet komen. Dankzij de Schrift kan ik het denken zonder schuldig te zijn.'

Max Havelaar

Als ik mijn ogen sluit, zie ik zonder moeite de jonge priester die naar zijn kerkgebouw loopt, zich nietig voelend als een luis in de pels van de Moederkerk. Hij was maar een passant, moet hij hebben gedacht, een tijdelijke uitzendkracht, niet meer. Zoals ik hem daar zie wandelen, zo moeten ook zijn parochianen hem overal in het oog hebben gehouden, betrokken als ze waren bij praktisch elk aspect van zijn dagelijks leven. Vooral buurman Litjes, die hem zelfs betrapte op zoenen voor de ingang van de kerk. Drie luchtkusjes.

'Dat is zeker je zus?' lachte hij schalks.

'Een oude vriendin. We gingen naar dezelfde school.'

'Natuurlijk! Nou, welkom in ons mooie dorp.' De koster draaide zich grinnikend om naar de ingang.

De twee lachten naar elkaar, Clemens wreef met zijn vingers over de nagelriemen van zijn duimen. Een los velletje probeerde hij met zacht geweld te verwijderen zonder dat Ella het zag.

'Wat is het lang geleden.'

'Ja, hoe gaat het met je? En hoe wist je dat je me hier zou vinden?'

'Mijn moeder kwam jouw moeder tegen op de markt. Ze vertelde dat je hier tegenwoordig pastoor was. Ze had gezegd dat je de vieringen in de avond deed. Ik dacht: ik ga een keer na mijn werk.'

Er viel een stilte, waarin de twee vrienden elkaar alleen maar aankeken, een soort studie van elkaar leken te maken. Wat was er veranderd, welke kern van verbondenheid was overgebleven?

'Een leuke verrassing.'

'Echt? Je kijkt zo... Of komt het niet uit?'

'Over een kwartier begint de Mis. Blijf, dan kunnen we daarna koffiedrinken en bijpraten. Dan is mijn hoofd ook leeg. Ik heb nog altijd last van plankenkoorts.'

'Om negen uur verwacht mijn vriend me thuis.'

'Dat gaat lukken. Doordeweeks zijn mijn homilieën kort maar krachtig. Ik bedoel, ik heb niet de gewoonte om een lange preek te houden.'

Hij hield de deur voor haar open.

Het ritueel bood houvast aan de priester. Zijn gedachten raceten door zijn hoofd, ik weet het zeker, maar zijn woorden klonken routineus en vertrouwd; al zo vaak bekende hij zijn schuld, verhief hij harten, bracht hij dank aan de Heer zijn God. De ruimvallende witte albe over zijn zwarte pak, de geknoopte singel die symbool stond voor kuisheid en de stola op zijn plaats hield, het kazuifel dat als een gouden poncho de priesterziel tegelijk beschermde en etaleerde: Clemens droeg de wapenrusting Gods zoals altijd met enige flair. Hij herinnerde zich hoe pastoor Van Summeren als een levensgrote duif over het priesterkoor bewoog, een verrassend gracieus beeld.

De communie naderde. Oudere gelovigen zaten op hun knieën met het hoofd gebogen, Clemens hield het schijfje vlak voor zijn ogen. 'Lichaam en Bloed van onze verrezen Heer Jezus Christus, die wij ontvangen...' Hij keek naar de hostie in zijn handen, het heilige Brood dat hem zo vertrouwd was dat het een deel van zijn bestaan was geworden, net zo noodzakelijk als zuurstof of water. Een fractie van een seconde was hij de tekst kwijt die hij in zichzelf moest uitspreken. Het zware missaal was zijn spiekbriefje: '... tot eeuwig leven.'

Wat van de katholieke liturgie verborgen bleef voor de gelovigen, was alleen toegankelijk voor de gewijde incrowd, de *mystes*, de dienaars van het mysterie. Hier ontsprong het innerlijk leven van de voorganger, vroeger uit het Latijn, inmiddels uit een even krachtige vertaling in de volkstaal. Woord voor woord werd hier naast het ritueel ook een leven van dienstbaarheid bepaald.

Hij had over de hostie heen kunnen kijken, de kerk in, om daar Ella te zien, maar dat deed hij niet. Hij concentreerde zich op de vaag zichtbare Christus, afgedrukt op het vliesdunne brood, een Christus aan de Levensboom. Terwijl hij met luide stem het Lam Gods inzette, brak hij zorgvuldig zijn priesterbrood. De breuklijnen waren voorgedrukt, voor iedere celebrant hetzelfde. Van de rechterhelft brak hij nog een stukje af en dat liet hij in de kelk met wijn vallen. Hij bracht de twee helften bij elkaar tot de breuk onzichtbaar leek.

Clemens realiseerde zich die voorzomerdag nauwelijks hoezeer hij zichzelf aan het voeden en opvoeden was via het dikke boek. In gedachten sprak hij: 'Laat het delen in Uw Lichaam en Bloed voor mij geen vonnis zijn, geen gericht, maar een kracht die mij sterkt naar lichaam en ziel en mij geneest van alle zwakheid.' Met een gecontroleerde uitademing tilde hij de hostie omhoog voor een moment van inkeer. 'Heer, ik ben niet waardig dat Gij tot mij komt, maar spréék en ik zal gezond worden.' Nu keek hij wel langs de hostie, zag haar gebogen hoofd.

Hierop volgde de logistieke fase van de viering: twintig gelovigen stelden zich met militaire precisie in een rij op, stapten de verplichte passen tot ze alleen voor de priester stonden.

Die hield de gouden schaal voor zich uit en nam er in een kalm ritme een schijf uit, hield die omhoog en reikte hem over. Het was als een atletiekwedstrijd, een estafetterace, waar de gelovige probeerde om zijn voorloper zo dicht mogelijk te naderen. Dan volgde de laatste inspanning en nam hij op topsnelheid het stokje over: een plakje brood om ter plekke te nuttigen. En dan alleen verder.

Ella was het ritme kwijt. Zo vaak kwam ze vast niet meer in de kerk, zeker niet doordeweeks. Voordat ze het in de gaten had stond de rij al klaar voor de brooduitdeling. Terwijl ze opstond, begon de rij vooruit te schuifelen. De eerste gelovigen ontvingen de communie; ze moest zich haasten om aansluiting te vinden. Met haar handen voor haar borst liep ze door het gangpad; een laatste gelovige stapte uit de weg, ze versnelde haar pas. Clemens nam een hostie uit de ciborie, hield hem omhoog en wachtte nog met het uitspreken van het voorgeschreven 'Lichaam van Christus'.

Ze kwam niet goed uit. Haar laatste stap was te groot; ineens stond ze bijna tegen hem aan. Hun handen raakten elkaar, de ruggen van zijn vingers, haar open hand. Contact.

Zijn handen waren gezalfd tijdens zijn priesterwijding, bestemd voor het heilig dienstwerk, geschikt om het gouden vaatwerk te gebruiken, om na afloop de kruimels van het Lichaam in de kelk te vegen en deze met een druppel water te reinigen. Zijn handen mochten met een eenvoudig gebaar ernstige zonden vergeven, konden een kind zegenen en opnemen in de geloofsgemeenschap. Maar vooral waren zijn handen Christus' handen geworden. Genezende, helende, verzorgende, warme en troostende handen. Om verloren schapen te bevrijden uit het kreupelhout.

Hij glimlachte en durfde niet op te kijken, totdat hij herhaalde: 'Lichaam van Christus.' Ze keken elkaar recht in de ogen, over de hostie heen. 'Amen.'

Na de Mis bleef Ella zitten totdat hij zijn linnengoed en goudbrokaat had afgenomen. Alles legde hij op de grote ladekast in de sacristie. Laag voor laag verdween de vrome pantsering van zijn lijf. De koster stond erbij te kijken.

'Nou, Herman, proficiat. Dat zit erop.' Clemens gaf hem een hand, die de man zelfs na een halfjaar nog onwennig aannam. 'Je ziet dat ik bezoek heb gekregen. Vind je het erg om alleen op te ruimen en af te sluiten?'

'Dus geen avondgebed voor meneer pastoor vandaag.' De bekende ondeugende glimlach speelde om de lippen van de landbouwer. 'Ik zou haar ook niet laten wachten.'

'Voor God zijn tijd en eeuwigheid toch hetzelfde, dus het maakt niet uit of ik wat vroeger of later bid.'

'Of in de hemel!'

Begeleid door de lach van Herman stapte Clemens het priesterkoor in om Ella te halen. Ze stond op en volgde met haar blik de gepleisterde zuilen van het hoge gebouw, naar het gewelf waar bakstenen ribben samenkwamen in een kruis.

'Wat kan het toch stil en vredig zijn in een kerkgebouw. Dat mis ik toch wel in mijn leven.'

Ze liepen door het gangpad naar voren, in de richting van het altaar. Clemens draaide zich naar het schip en wees op de banken. 'Soms zit het helemaal vol.'

'Wat een groot orgel.'

'Als je wilt kunnen we boven gaan kijken, bij het klavier. Dan kun je ook de rosse vleermuizen zien die tussen de gewelven zitten. Onze kerk beschermt de schepselen van de nacht.'

Ze lachten en liepen naar buiten, naar de pastorie. Clemens opende de donkergroene deur van de garage, de kortste weg naar binnen, en gebaarde joviaal: '*Entrez!*'

'Ik dacht dat je een arme en eenvoudige priester was! Je hebt hier een behoorlijk grote auto staan, zie ik.'

'Zonder vervoer ben je nergens. Mijn parochie is nogal uitgestrekt. Af en toe moet ik naar het ziekenhuis voor een bediening, en natuurlijk woont mijn moeder hier ver vandaan. Maar mijn echte luxe is dit...' Hij trok een stuk bouwzeil weg.

'Een motor! Wat gaaf. Je bent dus niet veel veranderd.'

'Stel je voor! Ik zou niet zonder kunnen leven. Elke zondag neem ik de Honda. Een uurtje toeren en mijn hoofd is helemaal leeg.'

'Je bent een zondagsrijder geworden.'

Hij keek beschaamd en haalde zijn schouders op. Wat kun je eraan doen, leek hij te zeggen. Het compromis was onvermijdelijk.

'Je kijkt toch wel uit? De ergste gevallen die op de Eerste Hulp binnenkomen zijn de motorongelukken. Vooral op zondagen of aan het begin van de zomer. "Donorbikes", zo noemen we ze. Het zijn altijd jonge mannen, zoals jij.'

Weer een moment van stilte. Ze verlieten de garage en stommelden de trap op naar de verdieping van de priester. Hij bood haar een stoel aan zijn kleine ontbijttafel in de keuken, deed koffie in een filter, water in het reservoir. Hij maakte alles in orde terwijl zij eindelijk kwam te spreken over de echte reden van haar bezoek: het afscheid. Terwijl Clemens studeerde voor priester was zij basisarts geworden. Nu wilde ze met haar vriend, die ook geneeskunde had gestudeerd, naar de Andes emigreren om daar voor Artsen zonder Grenzen te werken. Ze gingen Latijns-Amerikanen genezen.

'Daar is nog een hele wereld te winnen, terwijl het in Europa alleen maar draait om geld en carrière. Ik wil zo'n leven niet. Ik wil een verschil maken, echte problemen aanpakken, de wereld een beetje beter achterlaten dan ik haar heb aangetroffen.'

Toen ze weg was, beschreef Clemens hoe hij geboeid had geluisterd naar haar droom, hoe hij zijn hoofd had weggedraaid toen hij had gemerkt dat zijn ogen volliepen.

'Wat was ze een mooi mens geworden, wat keek zij verder dan de dorpelingen om hem heen, die vooral voor carnavalsfeesten leken te leven, en voor een keurig aangeharkte voortuin voor hun veel te grote boerderij, met het juiste automerk op de oprit. Ze schonken alle jaren van hun leven aan dezelfde postcode. Ik kon alleen maar in bewondering staren terwijl ze vertelde over de kindersterfte in Latijns-Amerika, de dramatische rechtspositie van arbeiders en landbouwers, het cynisme en de berusting die er heersten. Bij alles wat ze zei, wilde ik roepen: dat wil ik ook! Mensen helpen, hoop brengen, kansen geven, kinderen vooruithelpen zodat ze een beter leven leiden dan hun ouders, armoede en ziekte bestrijden – dat wil ik ook! Daarom ben ik priester geworden! Ook ik heb een hekel aan onze oppervlakkige consumptiemaatschappij vol reclame en schoonheidsidealen, aan ons groeiend gebrek aan impulscontrole, aan onze historische domheid, aan onze verruwing en ons gebrek aan medeleven met de zwakkeren in de samenleving en de wereld, aan ons gewetenloos leegvreten van moeder Aarde, aan ons achteloos verstoren van de delicate balans van het levensspel op de derde steen van de zon. Ik begrijp het!'

Hij wenste haar slechts een goede reis.

Hij zou aan haar denken in zijn gebed.

Met de maanden die verliepen werd dat gebed hem een last die hem bedrukte vanaf het moment van ontwaken. Dan liep hij naar het raam van zijn slaapkamer, schoof het gordijn opzij en zag het bloeiende groen waar hij geen vinger naar uitstak. Een grote kastanje overschaduwde het gazon, de dichtgegroeide vijver. Zijn ogen schoven erlangs, volgden de scheidingsmuur naar de kerk, zagen de doorgang naar de begraafplaats erachter. Bij de ingang hing de belofte: HEDEN IK, MORGEN GIJ. Er waren dagen dat hij zich voornam zelf aan het werk te gaan om onkruid te wieden of gras te maaien. Hij zou de namen van alle planten en struiken opzoeken en uit het hoofd leren; tenslotte kwam hij van het platteland en leefde hij tussen de boeren. Het kwam er nooit van. Wel draaide hij zich om, in zijn pyjama op blote voeten, want het was weer tijd voor de lauden.

'Dank U, Heer, voor het nieuwe licht,' mompelde hij terwijl hij naar een harde groengeverfde tuinbank liep, die hij aan het einde van de gang had geplaatst. Zijn bidhoek. Een kwartier lang zou hij in zichzelf lezen, soms hardop zingen, zijn dagelijkse gebeden voor het kruisbeeld uitspreken, zijn Franciscuskruis. Meestal koppelde hij er de lezingendienst en de terts aan vast; dat was efficiënter, had de deken hem geleerd. Dan hoefde hij alleen nog maar de vespers en de Mis te doen. En zijn completen natuurlijk. Daarnaast ruimde hij tijd in voor de rozenkrans, dat zoete rusten aan de voeten van de oermoeder. Hij wilde het niet als gebed zien, maar als ontspanning. Zijn handen streelden en masseerden de kralen. Zacht murmelde hij zijn ketting rond.

Bij wijze van uitzondering ben ik Clemens in deze periode een keer komen opzoeken. Hij gaf eerst een kleine rondleiding, benadrukte zich te schamen voor de luxe aankleding van zijn verdieping, gaf aan dat hij het gezelschap van een huisgenoot wel miste. 'Niets zo lekker als op je pantoffels naar een tabernakel te lopen om daar samen in stilte te bidden', had hij gezegd. Later zaten we boven in de keuken aan de koffie. Ineens zei hij met zijn gevoel voor understatement dat het werk hem niet licht viel.

'Je bent het vak net aan het leren, jongen. Natuurlijk is het zwaar.'

'Ik bedoelde het gebed. Eigenlijk wil ik minstens twee uur per dag aan contact met de Heer besteden, maar het komt er nooit van. Ik heb het gevoel dat ik niet alleen de last van een monnikenleven moet dragen, maar daarbovenop ook nog die eindeloze rij afspraken om sacramenten voor te bereiden, parochianen te bezoeken en vrijwilligers betrokken te houden. Om van andere taken als lesgeven op de basisschool nog maar te zwijgen. Ik heb geen rust in mijn kop.'

'Het seminarieleven was minder zwaar.'

'Natuurlijk. Toen had ik elke dag om vier uur nog tijd voor de Aanbidding. Die is helemaal komen te vervallen. Ik mis het zo. Soms heb ik een hele avond niets te doen en dan zit ik maar in mijn pastorie. Ik heb natuurlijk wel een televisie en mijn boeken over filosofie, maar die boeien me de laatste tijd ook steeds minder. In het seminarie ging ik vaak naar de kapel om even voor het tabernakel te zitten, het rustgevende rode vlammetje als enige lichtbron. Gewoon samen zijn met de levende Heer. Dat vond ik rustgevend.'

'Wat is er veranderd?'

'Nu zit ik in mijn pastorie, en is Christus keurig opgesloten in zijn glimmend gepoetste bankkluis. Ik ga nooit even op bezoek. De kerk ervaar ik als een koude, donkere ruimte; ik voel me er niet veilig. Ik heb het in de zomer een keer geprobeerd, maar ik dacht alleen maar aan de missen die ik nog moest doen, aan de grote hoeveelheden brood die ik zou gaan uitdelen, aan mensen die geen benul hebben van de schat die ze in handen krijgen.'

'Daar hebben we het over gehad. Het is niet aan ons om te oordelen.'

'Natuurlijk niet, maar toch voelt het niet goed. Het is alsof ik een misboer ben die keihard werkt om zo veel mogelijk omzet te maken. Ik kan toch niet bidden waar ik moet werken?'

'Je werk is je gebed. Wat denk je daarvan?'

'Soms droom ik van de uitstelling van het Allerheiligste, het heilig uur in het seminarie. Heerlijk intiem vond ik dat. Op het altaar stond een heilig zonnetje. Je hoefde alleen maar in de stralen van Christus te gaan zitten. Vroom zonnebaden. Warm worden vanbinnen, tot op het bot, tot in je diepste organen, je hart en longen, je milt en lever. Ik voelde me gezond tot in mijn ziel. Ik doe het nooit meer.'

Ik glimlachte om de retoriek, nam een slokje en keek van de hygiënisch schone aanrecht naar de jonge priester. Wie probeerde hij te overtuigen?

'Lekkere koffie, trouwens.'

'Max Havelaar.'

De Gaarsweide

In mei veranderde de dorpsparochie in een heus religieus regiocentrum. Elke dienst werd gepromoveerd tot Hoogmis, in het weekend althans, omdat gastkoren graag hun hulde aan Maria brachten en ook de eigen koren niet wilden achterblijven. Een hymne klonk toch mooier als de kerk vol zat. Gelaten constateerden zijn collega's tijdens de krans dat Maria hun kerken leegtrok, maar ze waren gewend geraakt aan deze traditie en wisten wel beter dan zich te verzetten tegen de wil van het volk.

Clemens had me verteld dat hij zich ervan probeerde te overtuigen dat de toeloop een uiting was van diepreligieuze en zelfs kerkelijke verlangens. Misschien was Maria ook in deze tijd nog steeds een weg naar God. Maar hoeveel pelgrims zouden dat zo beleven? De biechtstoelen bleven leeg. Zijn missen duurden te lang. Stil gebed was er niet bij. De sentimentele gezangen stonden misschien vol met conjunctieven en naamvallen – O reinste der schepselen, God groet U, zuiv're bloeme, Gebenedijd zijt Gij! –, maar zouden de kerkgangers het mysterie van de onbevlekte ontvangenis echt begrijpen en beleven? Hij concludeerde droog dat er tenminste een markt was voor de aloude Maria-devotie. Hij zou wel gek zijn om die buiten de deur te houden.

De bedevaartgangers lieten een gulden in het offerblok vallen om een kaars in de bak met zilverzand te mogen prikken. Daarbij keken ze steevast omhoog naar het retabel boven het zijaltaar, naar het beeldje van de Wonderbare Moeder. Deze variant was van zwart eikenhout, al waren er tijdens de laatste restauratie wat olieverfresten op gefixeerd. Je zag nog goed het rode onderkleed, symbool van haar menselijke natuur. De blauwe mantel – symbool van hemelse genade, waardoor ze tegelijk moeder mocht worden en maagd kon blijven – vroeg om een scherper oog. De uitdrukking op haar gezicht bleef middeleeuws vlak; ze was druk met het opbeuren van kind en scepter.

'Wat staat ze er toch mooi bij,' had Clemens tegen zijn koster gezegd.

'Laat dat maar aan mij over, pastoor,' antwoordde Herman Litjes, terwijl hij voor het laatst water in de tientallen potten hortensia's goot. 'Het volk rekent op haar.'

'En op de Heer, op Hem kun je ook rekenen.'

'Dat zal wel, ja.'

Hij hielp de pastoor en de misdienaars met aankleden. Hij trok plooien recht, verwijderde een pluisje, maakte de kaarsen in de flambouwen aan en reikte ze over. 'En recht houden, denk daaraan!' De kinderen knikten gehoorzaam. Clemens zweeg en verzamelde zijn gedachten, keek zenuwachtig omhoog naar het kruisbeeld en glimlachte naar zijn medewerkers. Hij vroeg zich af hoe lang hij de monstrans omhoog kon houden. Misschien had hij toch beter voor de eenvoudige kunnen kiezen; die was lichter.

Het halve dorp had zich verzameld voor de afsluiting van hun hoogtij van devotie met de sacramentsprocessie. Het is geen mysterie hoe deze is verlopen. Voorop ging een imposante zwarte hengst met lange gekamde manen en staart; zijn ruiter stuurde hem in een zigzag over de bakstenen van de kerkstraat. Dan volgde de gesjerpte schuts, een groep streng kijkende dorpsgenoten, oude en jonge mannen in zwarte pakken met de hellebaard in de hand. Een omroeper riep de tientjes door een megafoon; als hij zweeg klonk een nummer van de fanfare. Groepjes jonge bruiden en dansmariekes glimlachten professioneel, de schooljuffen ernaast. Na alle vrijwilligers kwam de priester met zijn gouden monstrans onder een stoffen baldakijn, omgeven door kerkmeesters en misdienaars. Ten slotte volgde de rest van het dorp, keuvelend alsof ze op schoolreis waren.

Clemens droeg een gouden doek om zijn schouders, het velum; zijn handen gingen schuil in de plooien, zodat hij het gouden vaatwerk niet eens aanraakte. Nu en dan maakte hij een zegenend gebaar naar boerderijen aan de kant van de weg. Hij mikte op de akkers achter hen, voor een gunstige oogst.

Toen ze aankwamen op de Gaarsweide, waar volgens de middeleeuwse legende het mariaal waterwonder was gebeurd, de aanzet tot deze moderne devotie, plaatste Clemens de monstrans op een geïmproviseerd altaar en sprak een overweging uit.

Dierbare gelovigen, welkom bij de weidekapel van het mooie Elshout. We zijn hier samengekomen aan het eind van een intensieve maand van bedevaarten om onze aandacht nog een laatste keer te richten op Maria, de Moeder van God. Het is verheugend dat zo veel gelovigen zich hier verzameld hebben. Dit is de plaats waar volgens de overlevering Maria zelf is verschenen aan een arme landbouwer, die op het punt stond om te bezwijken aan een zonnesteek. Ze bracht hem zuiver water om te drinken, waarna zijn krachten terugkeerden en hij verder kon met zijn leven. Verfrist en met nieuwe moed. Moge deze laatste plechtigheid hetzelfde brengen voor ons allemaal.

Maar laten we niet vergeten dat de wereld ook in onze dagen geen ongevaarlijke plaats is: aan alle kanten zien we hoe het ongeloof en

het egoïsme toenemen. Onze ouderen verwaarlozen hun kerkgang,
terwijl ze voldoende tijd te besteden hebben. Werkende mensen of-
feren hun gezinsleven op voor het najagen van geld en status. Jonge
mensen gaan ongehuwd samenwonen. De opgroeiende jeugd gaat
zonder begeleiding op vakantie om alcohol te drinken en verkeerde
dingen met elkaar uit te halen. Niemand spreekt erover. Niemand
denkt nog aan zonde of aan vergeving in de biecht en nog nooit was
de sociale druk zo groot om christelijke waarden als godsvrucht,
eerlijkheid en zelfopoffering te laten varen. Sta er eens een moment
bij stil, als u wilt, hoe ver ieder van ons verwijderd is van een le-
ven waarin God de belangrijkste plaats inneemt.

Juist daarom beschouw ik het als een teken van hoop, dat we hier
vandaag met zovelen bij elkaar zijn. De Moeder Gods kan ons hel-
pen om het goede te doen, dat geloven wij als katholieken. Door tot
haar te bidden richten we onze aandacht op alles waar zij symbool
voor staat. We mogen een moment lang alle twijfel en angst opzij-
zetten om Maria te groeten, om haar te vragen om kracht, zodat we
Gods wil kunnen volbrengen. Met haar hulp is het eenvoudig om
de genade van Jezus Christus te ontvangen, want hoe kan Onze-
Lieve-Heer een gebed onverhoord laten dat hem via zijn moeder
bereikt? Als allereerste mens, als een nieuwe Eva, heeft Maria van
Nazareth volmondig ja gezegd op de boodschap van de Engel. Zij
was gehoorzaam waar haar hele generatie ongehoorzaam was. Het
is dus mogelijk! Het is geen droom!

Laten wij ons hier en nu voornemen om met onze goede daden het
Rijk Gods op aarde een stukje dichterbij te brengen. Een Weesge-
groetje is een goed begin, ook nu de meimaand voorbij is.

Toen hij opkeek, betrapte Clemens de koster op een gaap. De
schutterij keek onaangedaan als een kudde koeien in de wei;
de dansmariekes schuifelden op hun plaats. Een van hen ging
door de knieën en raapte haar baton op van de grond. Van het

publiek dat geen taak als vrijwilliger te verrichten had, was het grootste deel al vertrokken. Met een hoofdknik gaf Clemens het signaal dat het afsluitend Marialied mocht klinken.

Het tempo van de terugtocht lag hoger dan dat van de heenweg, en niemand had moeite om bij te blijven. Op het kerkplein viel de processie snel uiteen, en dat gaf ook al niets. Clemens was toe aan de rust van de sacristie; hij merkte dat de spieren van zijn schouders protesteerden toen hij het linnen aflegde, maar hij had het gered. Opgelucht reikte hij de misdienaars en de koster een hand.

'U hebt ze flink de waarheid verteld,' zei deze.

'Dank je,' zei Clemens. 'En bedankt voor je goede zorgen deze maand. Ik hoop dat je vanavond bij de vergadering van het kerkbestuur kunt zijn; na afloop wil ik het een beetje vieren. Zonder jou had ik het niet gered.'

'Als ge dat maar weet.'

Die vergadering moet een hel zijn geweest voor de jonge priester. Hij was zelf alleen maar opgelucht dat zijn werk ten dienste van andermans vroomheid erop zat, was volgens mij fysiek en geestelijk uitgeput, aan het eind van zijn beproefde krachten. Hij had stil gehoopt op een feestje met zijn trouwe supporters.

'Meneer pastoor, ik weet dat het eigenlijk te laat is, maar ik wil absoluut een nieuw agendapunt inbrengen voor vanavond. Uw problemen met de parochie.'

Als kerkmeester Irene Daemen hem vousvoyeerde zou er wat komen. Een vrouw van midden veertig met kortgeknipt geblondeerd haar, klein van stuk; zijn vader had haar vast 'een pittig ding' genoemd.

De overige vier leden van het bestuur hielden hun mond en vielen terug in het patroon van hun eerste vergaderingen, toen elke maand een nieuwe aanvaring leek te brengen. Clemens had verondersteld dat iedereen inmiddels had leren leven met zijn nieuwe beleid rond de liturgie. Hij hoorde er tenminste niets meer over. En de meimaand was toch een succes, net als altijd?

'Wist u dat er veel over u wordt geroddeld? Ik zou er een boek over kunnen schrijven. Volgens de meesten bent u wel aardig in een persoonlijk gesprek, maar dat verandert zo gauw ze u in de kerk hebben gezien. Dan kijkt u zo donker en spreekt u zo zwaar, begrijpt u?'

'Ge praat te veel over zonde,' vulde de koster aan.

'Ik probeer toch ook wel grapjes te maken af en toe, maar dat valt niet mee in het kerkgebouw.' Hij had vast zenuwachtig gegiecheld.

'We weten natuurlijk van welk seminarie u komt, maar wij, als kerkbestuur, vinden dat u daar nog te veel naar luistert. De mensen lopen weg als u over schuld blijft praten. Het draait toch ook om meer gerechtigheid in de wereld, om vertrouwen in jezelf? God is toch in ons midden als we bij elkaar zijn? Waarom moet u ons dan het gevoel geven dat we het eigenlijk niet goed doen?' Terwijl Irene aan het woord was, schudde ze haar hoofd.

'Kan het niet altijd beter?'

'Wat ons betreft ís het al goed. Begrijpt u? Het is niet prettig om steeds bij het uitreiken van de communie te horen: "Als u in de hostie het Lichaam van Christus erkent en zich waardig weet om Hem te ontvangen, bent u van harte uitgenodigd." Het klinkt alsof u ons wilt ontmoedigen om naar voren te komen.'

'Ontmoedigen is een groot woord. Ik wil de gelovigen alleen maar laten beseffen dat het gaat om de bron en het hoogtepunt van het kerkelijk leven. Niemand mag op de automatische piloot de communie ontvangen. Dat is alles.'

'En dan die voortdurende preken over de tien geboden. Wilt

u echt iedereen terug in de biechtstoel krijgen? Dan krijgt u het nog druk!' vulde een andere kerkmeester aan.

'Dat hoop ik.'

'Maar het zal niet gebeuren. Er zijn nu al bijna geen huwelijken meer en er gaan steeds minder mensen naar de kerk. Als het zo doorgaat, komt er te weinig geld binnen en dan moeten we de tent sluiten!' zei de kerkmeester met klem. De rest knikte bevestigend, maar hun doorgroefde gezichten stonden neutraal, alsof ze het maar half met haar eens waren.

'Volgens mij hebben we heus nog wel genoeg in kas.' Clemens glimlachte en ging wat meer rechtop zitten. 'Ik vind het natuurlijk heel vervelend dat mensen zich storen aan mijn woorden. Maar het gaat hier niet om mijn privémening. Ik breng de visie van de Kerk: alles wat het leergezag al eeuwenlang aan de mensheid voorhoudt met het oog op ons eeuwig geluk. Het is jammer dat we dit hebben vergeten in Nederland. Maar volgens de bisschop komt het goed als we onze blijde boodschap maar blijven herhalen. We moeten op langere termijn denken.'

'Op de lange termijn verdwijnt de Kerk uit Nederland,' besloot de kerkmeester. Irene schudde nog eens haar hoofd terwijl ze naar de jonge man in pak keek. Ze haalde een sigaret uit haar tas en pakte haar aansteker. Het leek of ze wilde opsteken, maar toen bedacht ze zich.

'Ik geloof dat we hier vandaag klaar zijn,' zei ze. Ze stond als eerste op en liep naar buiten. Ze bleef niet voor een glas wijn.

Niemand bleef.

Een dag later zat Clemens alweer tegenover me en vertrouwde me toe dat hij zich uitgeput voelde, leeggetrokken door het volk Gods. 'Je bent inderdaad weer gewicht verloren,' had ik bevestigd, om meteen daarna het nieuws te brengen dat ik snel zou stoppen met mijn werk voor het seminarie en de pas afgestudeerde priesters. Mijn termijn was afgelopen; ik had een aantal jaren een bijdrage willen leveren, maar nu waren er voldoende mannen om de taak over te nemen. 'Eigen kweek' noemde de bisschop ze. Ik had bedongen dat ik voor onbepaalde tijd een sabbatical mocht nemen in een klooster naar keuze. Over enkele weken zou ik vertrekken naar een benedictijner klooster in het zuiden van Nederland. Eindelijk naar huis.

'Zult u het contact met de studenten niet missen?'

'Natuurlijk wel,' zei ik, 'maar het was ook een zware tijd. Al die zoekende mannen met morele vragen en zwakheden. Het besef dat de meesten later verantwoordelijke posities gaan innemen in de Kerk maakt het nog moeilijker.' Ik boog het hoofd. 'Ik breng altijd alles voor de Heer. Daar hoort het ook thuis. Wij zijn alleen maar Zijn doorgeefluik. Wat ik hoor probeer ik zo snel mogelijk te vergeten, eerlijk gezegd. Ik denk er nooit meer aan terug.' Een moment voelde ik mijn stem stokken. 'Ik ben zelf ook niet zonder zonde, weet je.'

Ik glimlachte toegeeflijk naar Clemens en wreef over mijn bebaarde kin. Toen reikte ik hem een hand en liet hem opstaan.

'Mag ik niet eens meer bij u biechten?'

'Je moet verder, Clemens. Je vindt vast wel een andere biechtvader.' Daarna liep ik naar mijn boekenkast en trok er een paperback uit, die ik een dag eerder had uitgezocht. *Zen en de kunst van het motoronderhoud*. Een toefje filosofie, een scheutje motorfiets en heel wat literaire sensibiliteit. Kon niet missen. Hij bedankte me met een brok in de keel.

'En ga nou eens naar de dokter,' voegde ik eraan toe.

Had ik hem deze opdracht maar jaren eerder gegeven.

175

Bienvenue

Hoe houdt een priester vakantie? Een belangrijke vraag, volgens mij, als je wilt begrijpen welke weg Clemens uiteindelijk heeft gekozen. Maar voordat ik een poging ga doen om deze te beantwoorden, moet ik eerst een kleine update geven vanuit het klooster, Sint-Benedictusberg. Clemens is hier één keer op bezoek geweest, niet vanwege mijn banden met deze vrome gevangenis, maar om tot bezinning te komen. Drie dagen lang op miniretraite, van Sint-Stefanus tot oudejaarsdag.

Zoals altijd wanneer hij de tijd aan zichzelf had, schreef hij ineens hele bladzijden vol in zijn dagboek. Ik citeer: 'Bij mijn komst naar de abdij viel me op dat ook hier het aloude aan het moderne gekoppeld is. Een middeleeuws leven speelt zich af in een hoofdcomplex dat is ontworpen volgens de Bossche school, naar het befaamde plastische getal, net als het gemeentehuis in Budel trouwens. Dezelfde strenge lijnen, dwarse verhoudingen, grijs beton, zwartgeschilderd hout. De banken in de kerk zaten vol van die lompe klinknagels waarmee de Heer zelf vastgeklopt had kunnen zijn. Ook de monniken maken een onwereldse, hautaine indruk, alsof zij precies weten hoe het leven in elkaar zit. Zo kijken ze in elk geval tijdens het officie. Bij mijn gesprek met de gastenpater veranderde die indruk gelukkig.'

Enkele bladzijden verder schreef hij: 'Iets meer dan een jaar geleden ben ik begonnen met mijn geestelijke queeste door mijn gang naar het seminarie. Nog steeds probeer ik te ontdekken wat de Heer van me wil. Waartoe ben ik op aarde? Het lijkt zo'n eenvoudige vraag. Ik herhaal voor mezelf het oude gebed van de hesychasten: "Niet mijn wil, maar Uw wil geschiede", maar het biedt me weinig troost, hoe heilig en eerbiedwaardig het Jezusgebed ook is. Het dwingt me om mijn persoonlijke voorkeuren te relativeren, mijn fysieke behoeften, de eisen van mijn ego; dat kan alleen maar goed zijn. Toch? De gastenpater zegt van wel. Hij moedigde me in elk geval aan om me niet te veel te oriënteren op een leven als monnik. Het leek hem beter dat ik eerst de stof van mijn priesterkleed zou weven; na enkele jaren zou ik vanzelf wel zien of er een habijt of een toog was ontstaan.'

Wijze woorden van broeder Martin. Zojuist kwam ik hem tegen, op weg naar mijn rozen. Indachtig de bezorgdheid van vader abt had ik besloten om ze eindelijk weer eens te verzorgen, even maar. Ik had ook besloten om de mooiste knop af te knippen en in een glaasje bij een foto van Clemens te plaatsen, zodat hij langzaam open kon gaan. Een kaarsje branden ging me nog net te ver.

Broeder Martin, gezegend met zijn engelachtige stem, had me met een eenvoudig gebaar tegengehouden. Ondanks de stilte die de regel voorschrijft, boog hij zich vertrouwelijk naar voren en sprak hij zacht: 'Als je me nodig hebt, weet je me te vinden.' Een neutrale opmerking, bijna vriendelijk. Ik had ermee kunnen leven als hij er niet aan had toegevoegd: 'Je jongen was tamelijk onzeker, herinner ik me. Onrijp. Ik heb voor hem gebeden, dat zijn geloof niet zou bezwijken.'

Zijn woorden echoden de rollende hymne die in de Sint-Jan had geklonken aan het eind van Clemens' priesterwijding, een

177

associatie die geen toeval kon zijn. Leer mij die monniken kennen. Zeker toen hij zijn interventie voltooide door er met honingzoete klank aan toe te voegen: 'Dat doe ik ook voor jou. Wij allemaal trouwens.' Het was nooit een goed teken als er veel mensen voor je baden.

Terug naar de vakantiebestemming van moderne priesters. Waar clerici tot in de jaren zestig geen verlof kenden, gaan ze tegenwoordig naar een zwembad of een vakantiepark, gooien laconiek hun priesterboord of reverskruisje in een hoek en adoreren de zon in ijdelheid zoals normale mensen. Anderen accepteren het aanbod van een georganiseerde reis met een bevriend echtpaar, of verliezen zich in een bedevaartsoord in de zon; gesterkt en opnieuw overtuigd van hun missie keren ze terug in hun parochie. Clemens had na zijn zware mei-ervaring besloten om een pastorale taak te koppelen aan zijn vrijheid; terwijl de deken zijn parochie waarnam, mocht hij biechthoren in de Sacré-Coeur. Zijn Frans was niet goed genoeg voor een homilie in de bovenkerk, maar volstond voor de biechtelingen in de crypte. Had hij niet alle preken van de pastoor van Ars gelezen in de brontaal?

Als vanzelfsprekend zie ik hem over de Noord-Franse snelwegen suizen, op zijn motorfiets natuurlijk, worstelend met tegenwind en zijwind, de gestrekte armen aan het stuur. Elke paar honderd kilometer rustte hij uit, tankte de scherp ruikende benzine, nam een kop koffie en een broodje. Toen arriveerde hij, een kwartier voor de afgesproken tijd; zelfs bij een reis van een halve dag wilde hij in geen geval te laat komen. Iemand verwelkomde hem met een simpel handgebaar en duwde voor hem de metalen toegangspoort open. De jonge priester draaide zijn ronkende machine de binnenplaats op; verlost van de stenen steegjes van Montmartre genoot hij van de onverwachte ruimte in de stad. De heenreis had hem uren gekost, maar hij voelde zich uitstekend.

'*Bienvenue, mon père.*' Vriendelijk glimlachte de gastvrouw, een zedig geklede dame van rond de veertig, en ze informeerde naar de reis. Haar kortgeknipte haar, de schaduw op haar bovenlip en ook haar jaren konden niet verhullen dat ze nog steeds een levende vrouw was. Wonderlijk hoeveel interessante vrouwen zich in de coulissen van de Kerk ophielden om er nederig werk te verrichten, gasten te ontvangen, les te geven, kinderen op te voeden. Let er maar eens op. Clemens trok de helm vastberaden van zijn hoofd, klemde hem onder zijn linkerarm en probeerde zijn haar terug in model te duwen.

'Uitstekend, dank u. Het is heerlijk om de motor te nemen.' Hij wilde iets zeggen als 'uit te razen op mijn stalen ros', maar was niet zeker van de juiste formulering in een vreemde taal, zodat hij maar besloot tot de eenvoudige versie. Zijn vakantie bood hem tenminste vrijheid van beeldspraak.

De zuster ging hem voor naar het hoofdgebouw, wees hem een eenvoudige wachtkamer waar hij even kon plaatsnemen – alweer een zeventigerjareninterieur. Er was veel geïnvesteerd in die tijd. Zonder zijn gewatteerde benen over elkaar te kunnen slaan zoals hij gewoon was, plofte hij neer in een ongemakkelijke stoel bij een tafel vol kringen; dit meubilair was niet ontworpen om streeploos schoon te houden.

'Kan ik me hier omkleden?'

'Natuurlijk, ik zal zo de vader waarschuwen.'

Toen ze was verdwenen, ging Clemens zijn motorpak te lijf, maar dat liet zich maar moeilijk afpellen. De drukknopen gaven met tegenzin mee, de riem om zijn middel leek te zijn vastgelijmd, de rits haperde bij elke tand. De losse col die zijn hals en nek had beschermd tegen de rijwind had andere plannen.

Op het moment dat hij wilde beginnen aan de laarzen, kwam zijn gastheer al naar beneden. Ze gaven elkaar een vluchtige hand.

'Welkom, jonge gast uit Nederland. U hebt de weg goed kunnen vinden, zie ik; vicaris Lachat heeft u vast goede aanwijzingen gegeven. Hopelijk krijgt u een inspirerend verblijf bij ons. We hebben een kamer voor u in gereedheid gebracht.'

Pater Mersenne moet volgens de beschrijvingen van Clemens een slanke gedaante zijn geweest, met een heldere oogopslag. Net als de vrouw ging hij in gedekte kleuren gekleed. Hij droeg in plaats van een boord een das, maar met meer flair dan Nederlandse paters, minder burgerlijk. Hij sloeg geen acht op het motorpak.

'Een moment graag,' antwoordde Clemens, waarna hij zijn arm door de opening van de integraalhelm stak, zodat hij zijn handen vrij had voor de rest van de overkleding. Pater Mersenne nam een zijkoffer en ging hem voor, waarop Clemens achter hem aan kloste. De Hollander volgde de Fransman.

Zijn kamer voor de komende tien dagen bleek een hoge ruimte met gipsen rozetten aan het plafond en een eikenhouten vloer die kraakte bij elke stap. Er stond een elegante schrijftafel tegen de damasten wandbekleding. Anders dan in Den Bosch bewoonde hij nu een herencel.

'Dit zal wel voldoen,' sprak hij in de hoop dat het understatement zou overkomen bij zijn gastheer, die behalve een vage glimlach niets weggaf.

'We hebben voor onze gasten een bescheiden keuken. Het avondmaal gebruiken we samen, als u wilt.' Anders dan het type pater dat Clemens in Nederland had leren kennen, had Mersenne geen seminarie vanbinnen gezien. De eerste vijftig jaar van zijn leven had hij als natuurkundige en huisvader geleefd, tot zijn kinderloze huwelijk met het overlijden van zijn

180

vrouw was geëindigd. In zijn verdriet had hij de troost van de Kerk ervaren en tot zijn eigen verrassing de roepstem van de Heer vernomen. Hij had niet durven weigeren. 'Dit was ooit een man van de wereld,' had Clemens later genoteerd in zijn dagboek, 'en dat zijn de besten.'

Hij beschreef hoe pater Mersenne hem voorging via zijn privévertrekken naar een dakterras dat uitkeek over Parijs, het bekende panorama met de Eiffeltoren; Montmartre was werkelijk een berg. Maar de pater had hem er niet gebracht voor het stadse uitzicht. Er stond een installatie, bedekt met een grijze hoes.

'Kijk, dit is het enige wat nog ontbreekt in onze prachtige Kerk.' Met een snelle beweging onthulde hij een grote telescoop. Het ding leek op een verlengd biervat met een handvat eraan, waar de pater een dopje afhaalde. Met een eenvoudig handgebaar nodigde hij Clemens uit, die niets dan lege lucht zag.

'Een mooi instrument, ongetwijfeld,' sprak hij voorzichtig.

'Voor een ongeoefend oog is het misschien nog te vroeg om iets te onderscheiden. Als de zon ondergaat proberen we het nog eens; dan bepalen we de draaiing van de aarde ten opzichte van de zon. Ik heb de coördinaten van mijn observatiepunt berekend en kan zo het aardse traject volgen in mijn dagelijkse observaties. Ik leg alles vast in dit schrift.'

Met een fijn potlood had hij een eindeloze rij getallen geschreven in een voorgedrukte tabel. Er was in Frankrijk een markt voor astronomen, blijkbaar.

'Elke keer dat ik door mijn telescoop kijk, besef ik de bescheiden plaats die we innemen in het immense universum om ons heen. Is dat niet prachtig? Soms beschouw ik mezelf als een navigator van het ruimteschip dat moeder Aarde heet. Die wetenschap voedt mijn geloof, ik ben er zeker van.'

Clemens had er geen woorden voor. Hij had begrepen wat de pater bedoelde, maar geen ruimte om in discussie of zelfs maar gesprek te gaan.

'Soms denk ik dat deze telescoop het enige is wat mij werkelijk onderscheidt van een dier. Ik ben onderweg, maar ik realiseer me dat ook. Dag na dag ontdek ik de wetmatigheden die mijn leven beheersen. Het is een volmaakte aanvulling op mijn beleving van het christendom.'

Clemens knikte – precies de respons waar de pater op wachtte.

'In het christendom leren we wat ons traject is, waar we naartoe gaan en welke weg we zullen afleggen. We gaan allemaal dood, nietwaar? Dat proces van aftakeling kunnen we niet stoppen. Alles is door God zelf vooraf zo bepaald. Al onze dagen zijn al beschreven in Zijn boek, voordat zelfs de eerste dag nog maar is aangebroken. Alle haren op ons hoofd zijn geteld. Elke beslissing is voorzien en mogelijk gemaakt door onze almachtige, vrijheidminnende vader. Zo simpel is het. Onze vrijheid is net zo absoluut als de onvrijheid van Moeder Aarde. Beide zouden we moeten observeren en beschrijven, met liefde en zorg voor de kleinste details, want op kennis volgt wijsheid. Het is me een raadsel waarom onze Kerk zich zo vijandig opstelt tegenover de wetenschap.'

Clemens knikte. Hij zweeg over de onvrijheid in zijn leven, de last van alle sociale verplichtingen, de zwaartekracht die de laatste maanden leek toe te nemen, overal waar hij zich bevond. Hij was op vakantie en glimlachte.

'Het is mooi wat u zegt.'

Dagelijks begaf Clemens zich naar de donkere onderkerk van de Sacré-Coeur. De enorme mozaïek van Christus in de hoofdkerk werd gerestaureerd, zodat er maar weinig toeristen door het melkwitte gebouw liepen. De crypte met zijn zuilengang bleef het domein van de ware godzoekers: in het schemerduister dat nog getemperd werd door het glas-in-lood drukten de romaanse bogen en zuilen de mens nederig op de aarde. Geen omgeving voor uitzichtzoekende dagjesmensen.

Clemens liep eerst naar de sacristie om een albe uit te zoeken. Een stola ging over het witte kleed, waarna hij met zijn getijdenboek naar de kapel liep, die twee mogelijkheden bood: in het midden stonden een paar stoelen met een tafel ertussen. Daar werd eenvoudig gesproken van mens tot mens. Voor de liefhebber stond er een biechtstoel in de hoek. Een oude communiebank sloot de toegang tot de kapel voor het grootste deel af.

'*Père*, ik zou graag willen biechten.' Een vrouw van middelbare leeftijd, een gouden helm van haar om het gebruinde Latijnse gelaat, verzocht de ruimte in te mogen komen.

'Natuurlijk, gaat u zitten als u wilt.' Het Frans kwam aarzelend van zijn lippen, met dank aan geschriften van en over Charles de Foucauld, Jean-Baptiste Vianney, Thérèse de Lisieux, François de Sales. En zijn bezoeken aan Taizé en Paray-le-Monial natuurlijk. Eindelijk vloeide het spirituele voedsel dat hij jarenlang uit de 'katholieke natie' had geïmporteerd terug, voorzien van verse genadekracht.

'Ik gebruik liever de biechtstoel.'

Hij knikte, waarop hij alleen nog maar haar profiel kon zien.

'In de naam van de Vader en de Zoon en de Heilige Geest. Vertelt u het maar.'

'Ik moet bekennen dat ik voor mijn kinderen niet de beste moeder ben die ik zou kunnen zijn. Vaak verlies ik mijn geduld. Niet dat ik dan erop los sla, maar ik ben toch echt minder aardig voor ze. Verder maak ik me soms te veel zorgen om materiële zaken, om status – meer dan nodig is. Ik roddel veel en spreek ook weleens niet de waarheid. O ja, ik heb vorige week zondag niet de Mis bijgewoond omdat we op vakantie waren; ik dacht dat het niet zo erg zou zijn om het een keertje te missen.'

'Dat was het?'

Door het raamwerk zag hij haar hoofd buigen. '*Oui, c'est tout.*'

'Het is heel goed dat u hier uw zorgen voor de Heer brengt. Een biecht hoeft niet bewaard te blijven tot ernstige zonden of grote problemen. Wanneer is de laatste keer dat u gebiecht hebt?'

'Laatst nog, met Pasen.'

'Dat bedoel ik. Het is goed om onze relatie met de Heer zuiver te houden en regelmatig goede voornemens te maken. Zo mag u deze biecht beschouwen: een moment van herbronning. Alleen, wat u vertelt over het erbij inschieten van de zondagsmis, dat is misschien iets om in de gaten te houden. Ook in vakanties is er gelegenheid genoeg om een dienst bij te wonen. Daar moet u dus niet te licht over denken. Het staat in de tien geboden. Als penitentie vraag ik u om een rozenkrans te bidden.'

'Dank u, vader.'

'Als u nu een algemene schuldbelijdenis uitspreekt, dan sluiten we alle zonden in. Daarna zal ik u de absolutie geven.'

De vrouw beleed haar schuld en klopte met enige nadruk op haar borst. *Mijn schuld!* Ze leek ontroerd toen Clemens met een plechtig gebaar de absolutie verleende. Het Frans klonk hem fris in de oren en met voldoening reikte hij haar zijn hand.

De volgende biechteling liet op zich wachten, maar toen volgde toch het hele gezin van de vrouw. Hij hoorde geen geheimen, geen smeuïge bekentenissen. De man, de dochter en de zoon biechtten steeds hetzelfde: we hebben een keertje de Mis overgeslagen.

Een heel ander gesprek voerde Clemens met een jongeman, die niet schuldbewust of schaamtevol overkwam. Integendeel, hij meende zelfs een spottende glimlach waar te nemen. De penitent was mager en lang, had glanzend zwart haar in een kuif en droeg priesterzwarte kleding. Hij had de looks van een heroïneverslaafde rocker, en diepe plooien in zijn gelaat. Nog voordat Clemens hem had uitgenodigd om te gaan zitten, had hij al plaatsgenomen.

'Weet u, ik wilde niet biechten, maar ik zou graag met u in gesprek gaan.'

'Dat is prima,' had Clemens vriendelijk geknikt. 'Vertelt u maar, waar wilt u het over hebben?'

'Over God natuurlijk, en de manieren waarop Hij wordt misverstaan in de wereld.'

'Daar hebt u moeite mee?'

'Nee hoor, met God heb ik geen moeite. Ik ben er zeker van dat Hij bestaat. Alleen maak ik me soms zorgen om iedereen die niet gelooft dat Hij bestaat, om alle mensen die zich het leven zo moeilijk maken terwijl ze ook in God zouden kunnen geloven. Begrijpt u?'

'Natuurlijk, het geloof in God maakt je vrij en brengt je in contact met de waarheid. De waarheid zal u vrijmaken! U hebt gelijk dat dit in onze wereld veel te weinig erkend wordt.'

'En dat is uw schuld. U collaboreert met de vijand!'

'Pardon?'

Meestal bleef de biechteling fysiek gescheiden van de priester. Dat was de functie van de tafel of het rooster; zo was het ritueel ingericht. In plaats daarvan overbrugde de jongeman ineens de afstand, liep met een vloeiende beweging om hem heen en duwde Clemens terug op zijn stoel, met de handen op zijn schouders. Toen hij voelde dat Clemens bleef zitten, klopte hij hem op de schouder.

'Goed zo, priester, blijf waar u bent. Wie geschoren wordt, moet stil blijven zitten.' Zijn stem klonk al te dicht bij zijn oor.

'Blijf je zitten?'

Clemens knikte en wachtte tot de man weer voor hem plaatsnam.

'Mijn naam is Damien, en ik heb een boodschap voor u, van de andere kant,' sprak hij, goed articulerend, zodat Clemens geen enkele moeite had om hem te verstaan. 'Die boodschap is heel eenvoudig voor de goede verstaander, maar onbegrijpelijk voor wie stront in zijn oren heeft! Heb je stront je oren? Zeg het mij: heb je dat?'

Clemens schudde zijn hoofd, sprakeloos. Bevroor toen, had geen enkel idee wat hij moest antwoorden. Weerloos.

Daarop greep Damien zijn hand – de rechter – tussen beide handen, een agressief maar tegelijk ook warm gebaar, verrassend intiem. Clemens' hand werd omvat zoals in geen jaren. Alleen de bisschop had hij toegelaten, toen hij zijn gelofte van gehoorzaamheid had uitgesproken. En Ella.

Clemens' ogen schoten weg van de handen, maar Damien liet niet los. Zijn zwarte stropdas op het witte overhemd bewoog, danste, kronkelde als een slang; de zwarte overjas deed denken aan uitslaande vlerken.

'*Mon père*, vindt u het niet vreemd om nu al vader te zijn, een priester van de katholieke Kerk? U kleedt zich in een mooi gewaad, neemt een boekje met voorgedrukte woorden in uw hand en gaat in een kerk zitten. Maar u bent nog maar een jongen. Dat weet u zelf toch ook wel? U hebt toch ook gevoelens en angsten, hoop en verlangens? Toch?'

Clemens' blik schoot van kaars naar altaar naar kruis, weg van de situatie. Hij wilde een schietgebed formuleren: 'Niet mijn wil, maar Uw wil geschiede.' Maar wat is Gods wil? Na lange seconden schudde hij eindelijk zijn hoofd, ademde langzaam uit en formuleerde zonder hem aan te kijken: 'Mag ik mijn hand terug, alstublieft?'

Toen pas keek hij naar hun verenigde handen en zag de drie puntjes die in de huid van de man waren getekend, tussen duim en wijsvinger. Dat was voldoende. 'Damien, ik wil nú mijn hand terug.' Hij keek hem aan en wendde zich niet af van de ogen van de man, die enkel uit een zwarte pupil leken te bestaan. Keek er recht in, zonder te aarzelen dit keer. De vijand heeft alleen respect voor kracht, wist Clemens, desnoods gefingeerde kracht.

'Laat... me... los,' sprak hij moeizaam.

Dat deed Damien ten slotte, en hij sprak: 'Je hebt het ingezien. Uitstekend.'

'Je hebt me overvallen,' zei Clemens, 'dat is alles.'

'Ik kwam omdat ik zag hoe moeilijk je het hebt, mijn vader. Iedereen kan het zien, maar niemand zegt het tegen je. Je ziet er ongezond uit, weet je dat? Je gezicht ziet grauw, je loopt alsof je een wereldbol te tillen hebt en je aandacht vliegt alle kanten op. Geen focus op je geestelijke missie, geen standvastigheid in je priesterschap. Als het woord "burn-out" niet zo psychologisch klonk, zou ik het gebruiken. Je bent opgebrand in de strijd, geef het maar toe. Daar gaat je godverdomde priesterwijding! En weet je waarom?'

'Nou?'

'Je neemt de gekruisigde tot voorbeeld. Je doet het jezelf aan. Je roeping is een zak vol bakstenen, die je overal mee naartoe sjouwt. Zelfs naar je vakantie. Zet hem toch neer. Maak je vrij van je zelfgekozen verplichtingen. Geef het op. Laat die rooms-katholieke grafstenen voor wat ze zijn. Dood gewicht en niets meer. Ze houden je tegen. Ze vermalen je ziel tot gruis, ze trekken je het graf in.'

Damien was opgestaan en stond als een eloquente advocaat zijn zaak te bepleiten. Clemens zweeg. Elk woord ging zijn brein binnen, een zwerm vlooien kroop tussen zijn heiligste overtuigingen.

'Ik was net als jij, jaren geleden: een gelovig mannetje, een slaaf. Ik zocht mijn kracht buiten mezelf, in de Kerk, in maatschappelijke status, in conformisme. Ik was ongelukkig, Clemens, net zoals jij nu. Maar sinds ik de zak met bakstenen heb neergezet, is alles beter. Ik geloof nog steeds, maar in mezelf. Ik ben mijn eigen God. Wij zijn eindelijk één!'

Zijn laatste woorden galmden na; de kaarsen flikkerden onrustig, maar kalmeerden toen. Stilte. Clemens was opgelucht dat de man ophield met praten. Hij antwoordde niet. Damien keek hem aan, boog zich voorover en zei: 'Je hebt nog veel te leren. Maar je komt er wel.'

Die avond schreef Clemens eerst het hele voorval uit in zijn dagboek, waarna hij besloot om het geanonimiseerd voor te leggen aan pater Mersenne. Die begon hardop te lachen en klopte hem laconiek op de schouder: 'O, je hebt Damien ontmoet. Hij noemt zich satanist, maar is natuurlijk een mislukte acteur. Allemaal theater.'

Buiten zijn vierurige werkdagen had Clemens alle tijd van de wereld om de stad te verkennen, musea te bezoeken en boeken te kopen langs de Seine. Hij vond een charmant, genummerd boekje van Paul Valéry (Exemplaire no. 432) dat begon met: '*La bêtise n'est pas mon fort.*' 'Eindelijk een zielsverwant,' noteerde hij die avond. Hij bezocht het Louvre en constateerde dat het moderne en het oude ook harmonisch konden samengaan, alsof het zo bedoeld was. Niet uit gebrek of noodzaak, zoals in de kerk. Hij wandelde door de Sacré-Coeur en hoopte dat de toeristen iets van haar duistere, geheime genade zouden meenemen. Hij vond even een zitplaats in de Sainte Chapelle, maar het deed hem vooral denken aan een bonbondoos. Een parfumreclame. De Eiffeltoren zag hij alleen van beneden.

Wanneer hij vermoeid van het wandelen was teruggekeerd naar zijn cel beschreef hij in zijn linnen schrift een ontluisterende serie spijtoptanten: 'Masturberende jongens, roddelende meisjes, overbezorgde moeders, masturberende vaders, oma's die al veertig jaar gemeen waren tegen hun echtgenoot, opa's die klagen dat ze niet meer kunnen masturberen. Het lijkt alsof geen man van zichzelf kan afblijven. Na een week kan ik de zonde direct van het gezicht aflezen. Ze hoeven niet eens meer te biechten wat mij betreft; ik vergeef ze hun geroddel, geruk en gekijf zo ook wel. En na de absolutie geef ik iedereen een handdruk, wat ze ook met die hand hebben uitgespookt: "Gefeliciteerd!"

Er sloop een cynisme in zijn notities, dat ik eerder niet had gezien en dat ik niet kende van onze gesprekken. Over de Mariadevotie bijvoorbeeld, die hij juist zo actief had bevorderd: 'Deze week heb ik besloten om geen enkel Weesgegroetje meer te bidden. Ik heb even genoeg van het gedachteloos geprevel, van die eindeloze kaarsjes die de kas spekken van het kerkbestuur, van het doen alsof een standbeeld gevoel heeft. Volgens mij heeft de Maagd nog meer dan genoeg wensen op haar agenda om aandacht aan te besteden en voor de Heer te brengen. Als ik een weekje oversla, maakt dat volgens mij niets uit. Vakantie van Maria, heerlijk!'

Over zijn genadewerk: 'Priesters staan boven aan de voedselketen van het Rijk Gods: ze jagen op andermans zonden en verslinden ook de kleinste met huid en haar. Maar zoals elke carnivoor nemen ze daarmee de gifstoffen van hun prooi op in hun eigen systeem. Ze worden doodziek van andermans venijn.

Als ik denk aan mijn parochiewerk, dan realiseer ik me dat het om een speciaal talent vraagt, een bijzondere genade wellicht. Ik bedoel dit: de sacramenten werken *ex opere operato*, dus objectief door de macht van de woorden in combinatie met de gebaren. Of je het ritueel nu snel en slordig uitvoert of plechtig en vol overtuiging, dat maakt niet uit. De bedienaar is maar een toevallig instrument, een willekeurige buis waar de genade door stroomt. Zijn hart of zijn heiligheid is volledig irrelevant om het sacrament succesvol tot stand te brengen. Hij hoeft niet te geloven; authenticiteit is optioneel. Hij mag vanbinnen de Heer en zijn moeder vervloeken, zolang hij zich maar aan de voorschriften van het ritueel houdt. Hij hoeft alleen maar zijn rol te spelen. Was ik maar een betere acteur.'

Alleen fysiek ging het niet slecht: 'Vanmorgen zat ik op de wc, maar dit keer had ik geen buikpijn, geen kramp, helemaal niets. Ik moest me ontlasten en had me al voorbereid op overvloedig gebruik van het roze papier. Maar... Niets! Geen bruine streep te bekennen! Ik begreep er niets van; dit is al de derde dag achter elkaar. Dit is echt niet normaal voor me, dat durf ik hier in mijn dagboek wel te bekennen. Geen smurrie aan mijn kont, geen waterzooi in de pot, niet de minste kramp of pijn. Ineens besefte ik dat de drollen uit stripverhalen écht bestaan, stevige consistentie, geurigheid en al! Ze blijven zelfs drijven. Ik kreeg bijna zin om mijn product op te vissen uit de pot, het te plastificeren en aan de muur te hangen: hét bewijs dat mijn jarenlange diarree dus niet normaal was. Ik voel me ook fitter dan anders, geloof ik. Volgens mij wordt het echt tijd om eens grondig uit te laten zoeken wat er mis is met mijn buik. Of komt het misschien door het gezonde Franse regime?'

Daar staat het dan, plompverloren en zonder enige voorbereiding, in een vocabulaire dat niets te raden overlaat. Er was een vakantie voor nodig om de reserve van de jonge wijdeling af te breken. En afstand tot zijn parochianen wellicht, of tot het bisdom waar hij zich voor zijn hele natuurlijke leven op had vastgelegd. Ik had geen idee. Ik heb gewoon aangenomen dat hij net zo regelmatig en solide was als ikzelf. Nu weet ik dat in zijn binnenste geen geolied klokwerk draaide en tikte, maar eerder een warrige werveling van gassen, sappen en elementaire deeltjes. Hij heeft de feiten veel te lang ontkend, vrees ik. Probeerde ze binnen te houden.

Strikt glutenvrij

Na zijn terugkomst is het snel gegaan. Via zijn huisarts kwam hij bij een gastro-enteroloog terecht, die besloot tot eenvoudig laboratoriumonderzoek op wat bloedmonsters en een emmertje ontlasting, en tot een ademtest, waarvoor hij nuchter in het ziekenhuis had moeten verschijnen. Dat was alles. Meer had de moderne wetenschap niet te melden in Clemens' geval. Drie weken verwerkingstijd, de resultaten in de vorm van enkele getallen op een formulier. Tegen deze scheikundige waarheid zou geen theologisch natuurwetsargument standhouden, al duurde het even voordat Clemens zich dit goed realiseerde.

Voor de uitslag begaf hij zich door de eindeloze gangen in het Sint-Jansgasthuis, het Bossche ziekenhuis, over donker linoleum op de vloer en langs muren van grijze blokken waarin je de kiezels zag zitten. Net als bij Huize Christine. Zijn moeder had hem voorgesteld om met hem mee te gaan, maar dat had hij lomp afgewezen. 'Ik ben je zoon, niet je kind,' had hij gezegd, waarop hij meteen schuldbewust had beloofd om haar te bellen zo gauw hij een antwoord had. Toch was hij ongeruster dan hij liet blijken. Zo veel jaren had hij zich niet goed gevoeld, zonder zich te realiseren dat hij aan een serieuze kwaal kon lijden. Hij had altijd gedacht dat hij zich aanstelde; nu zou hij het verlossende woord horen. De verklaring. 'Meneer Driessen, u hebt geen problemen met het verteren van melk. Dat is het goede nieuws. Het slechte nieuws is dat u gluten niet kunt verdragen. Dat is alles: als u tarwe, haver, gerst en rogge in de toekomst vermijdt, zal uw spijsvertering zich binnen een paar maanden normaliseren. Uw aandoening heet coeliakie.'

Zo simpel was alles te verklaren. Zijn vermoeidheid, zijn ongezonde uiterlijk, zijn lage gewicht – alles was terug te voeren op een gebrek aan voedingsstoffen door het nuttigen van een enkel allergeen. Een eiwitje, meer was het niet.

'Is er geen twijfel?'

'Geen enkele. We hebben alle relevante tests uitgevoerd en het kan niet missen. Maar als u wilt, kunnen we nog een biopt nemen. Dat blijft de gouden standaard voor diagnose.' Dokter Wijnbergen had ontspannen gesproken, zeker van zijn zaak. Hij leek vrolijk dat hij de puzzel had opgelost, trok een pen uit zijn witte overjas en schreef iets in het dossier. Hij benadrukte het belang van een diëtiste, de eenvoud van het dieet: 'Geen gluten en u wordt helemaal gezond!'

'Dus geen brood,' had Clemens geconstateerd.

'Inderdaad. Alleen glutenvrij brood.'

'Geen tarwebrood.'

'Juist. U mag alleen nog maar glutenvrije producten gebruiken.' Met deze woorden bezegelde een specialist in magen, darmen en levers het lot van de priester Clemens Driessen. Hij had wat microscopisch kleine antilichamen in zijn bloed gevonden en alles was veranderd. Elk vast voedsel dat Clemens ooit had gegeten was in meer of mindere mate giftig geweest, van zijn eerste papje tot en met de kom muesli die morgen. Praktisch elke maaltijd had hij gluten tot zich genomen. Dit was zijn vijfde colonne, de trage dolkstoot in zijn onderbuik, de strop om zijn nek die met elke slik werd aangetrokken. Daarom was hij een wrak.

'Dank u,' sprak de priester zacht, terwijl hij opstond.

Ik heb begrepen dat hij na de diagnose is doorgereden naar het Sint-Janscentrum, waar zuster Immaculata nog steeds de deur bediende. Hij was toch in de stad. Ze heette hem hartelijk welkom, vroeg hoe het met hem ging, wees al naar een stoel om rustig bij te praten. Clemens schudde het hoofd en vroeg naar mij.

'Pater Beckers is al weg. Je weet toch dat we een nieuwe hebben? Pim Poldermans is hier net ingetrokken. Hij staat volgens mij nog tussen de dozen. Als je wilt, bel ik wel.'

'Niet nodig. Dank u.'

Met een paar stappen kwam hij in de hal, waar het beeld van Mozes even solide stond als altijd, betrouwbare kunst. Clemens klopte geruststellend op zijn bronzen kop en begon aan de trap naar de kapel. Misschien kwam hij voor het altaar wel tot gebed, hoopte hij, maar nog voordat hij de kapel had bereikt snerpte het door de ruimte: 'Joehoe, Clemens, oejoe!' De bekende kopstem weerkaatste schel tegen het glas-in-lood.

Onhandig draaide Clemens zich om, verstapte zich bijna, maar hervond zijn balans en keek neer op de man met het overvolle postuur van een eunuch.

'Wat goed, Clemens, dat je gekomen bent! Dat had ik werkelijk niet verwacht!' Hij wachtte tot Clemens beneden was en omhelsde hem stevig.

'Kom mee, je raadt nooit waar ze me hebben ondergebracht!' Met een hand op zijn schouder duwde Pim hem in de richting van de twee klapdeuren, naar de gang van de leiding. Hij ging hem voor naar de eerste deur links, mijn oude kamer. Waar ooit de vertrouwde tafel met een Jezusbeeld op het tapijt een plaats had gekregen, bevonden zich nu driehoog de bruine verhuisdozen. Zijn zelfgemaakte bureau stond vrij in de ruimte en een lange chesterfieldbank gaf uitzicht op de tuin.

Pim glom, en niet alleen van het zweet van de verhuizing: 'Dit had jij toch ook niet verwacht – dat ik als spiritual in het seminarie verantwoordelijk zou worden voor de geestelijke vorming van nieuwe priesters? Hoe vind je dat?'

Clemens had er geen woorden voor. Pijnlijk helder kwam hem de episode in de kamer van Pim voor de geest, alle details van de omhelzing, de kus. Hetzelfde gevoel van machteloosheid besprong hem weer en hij dacht aan de nachtmerries en de fysieke afkeer die hij had gevoeld. Schaamte dat hij Poldermans zo dichtbij had laten komen, dat hij niet meteen door de vrome illusie heen had geprikt. In zijn woorden: 'Ik heb over mijn ervaringen met Pim verteld aan de spiritual, aan de rector, aan vicaris Lachat zelfs, maar allemaal zwegen ze. Ze deden er niets mee. Ik ben waarschijnlijk niet expliciet genoeg geweest.'

Hier vergiste Clemens zich: we wisten meer dan genoeg, het was ons volstrekt helder. Maar als vanzelf hadden we, ieder voor zich en zonder onderling overleg, gekozen voor de koormantel der liefde.

Intussen ratelde Pim door. 'Ik wist wel dat ik een taak binnen het seminarie zou krijgen. Die studie patrologie is een goede keus geweest. Ik zal ook les gaan geven. En als jij dan de kerkgeschiedenis van de moderne tijd gaat studeren, dan kunnen we samen het hele programma bepalen. Misschien krijg ik de bisschop wel zover dat je na je studie hier komt wonen!'

Clemens luisterde niet meer. Hij voelde zich wee worden, een zuigende leegte in zijn buik, alsof alle bloed daarheen trok. Hij begon te zweten, zijn handen trilden. Een fluittoon in zijn oren. Vóór zijn bezoek aan de specialist had hij maar weinig gegeten om niet het risico te lopen halverwege naar het toilet te moeten; nu begon zich iets te roeren daarbinnen.

'Lijkt dat je niet mooi? Samen het seminarie runnen!'

'Ik moet mijn handen wassen.'

Clemens draaide zich om en snelde de gang uit, de klapdeuren door, de trap af naar de toiletten op de begane grond. Zijn leren zolen klepperden op de gladde tegels. Bijna gleed hij uit, maar ten slotte vond hij een deur die hij op slot kon doen.

Die avond schreef hij in zijn dagboek: 'Net moest ik de Mis weer opdragen, de eerste keer na de diagnose. Er is niets veranderd, maar alles is veranderd. Ik durfde de hostie maar nauwelijks aan te raken. Toch moest het. Ik heb nog geen glutenvrije hosties, maar *the show must go on*. Zelden heeft het brood zo glibberig, zo slijmerig en glad gevoeld.'

En: 'Ik heb mijn keuken uitgeruimd. Het oude broodrooster gaat de deur uit, het knäckebröd, de muesli, aardappelkroketjes, gepaneerde visfilets, macaroni, spaghetti, dipsauzen, champignonroomsoep, vermicelli, soepstengels, frikadellen, blauwe kaas, borrelnootjes, bastognekoeken, pannenkoekenbeslag, Heineken, Budels Bier, Lucifer, Mort Subite. Ik kan nergens meer van genieten, nu ik weet dat het kwaad doet.'

Gelukkig hadden de parochianen begrip voor zijn situatie: 'Een parochiaan vroeg of het geen moeite kost om zo veel lekkere dingen niet meer te kunnen eten. Geen enkele moeite. Ik hoef er niet eens over na te denken. Je eet toch ook geen punaises? Wie lust er nou gemalen gloeilampen? Wie geniet er van grind?'

Hier klinkt hij nog strijdvaardig.

Hij bestelde glutenvrije hosties bij zijn vaste leverancier in Sint-Michielsgestel, die ze zo snel mogelijk zouden produceren en opsturen. Voor zijn grote priesterhosties zouden ze een speciale batch maken, net als de andere glutenvrije hosties gemaakt van Wheatex. Toen ze bezorgd werden, bleken ze in exact dezelfde doosjes te zitten als de normale hosties. Alleen had iemand er een handgetypt etiket op geplakt:

HOSTIES vervaardigd uit glutenvrij, eiwitarm TARWEmeel. HOSTIEBAKKERIJ Instituut voor Doven. Sint-Michielsgestel. Met het oog op overgevoeligheid van coeliakiepatiënt niet in aanraking brengen met gebruikelijke hosties. Verklaring van geen bezwaar NRL 20.04.77

Clemens had het meegenomen naar zijn diëtiste, een jonge vrouw die haar zacht uitgesproken woorden met snelle gebaren kracht bijzette. Zij had bevestigd dat het prima was, maar dat hij zich wel strikt aan zijn dieet moest houden. Ze had folders bij zich en een boekje met lijsten van producten die volgens de fabrikant veilig waren. Het zou zijn nieuwe bijbel worden, stelde ze voor.

'Is het geen probleem dat de hosties toch met tarwemeel zijn gemaakt?'

'Dat weet ik niet precies, meneer, maar volgens mij is het wel goed, hoor. Dat denk ik.' Daarna vertelde ze hoe belangrijk het was om een eigen botervlootje te hebben, een eigen jampot, een eigen toaster.

'U moet zelfs de kleinste kruimels vermijden. In het laboratorium zien we dat een enkele glutenmolecuul al de activiteit van de T-cellen op gang brengt, en dus een reactie van het immuunsysteem. Dat gaat ten koste van uw organen, en vooral van de darm. Op termijn kunt u er zelfs kanker van krijgen. U mag dus niet zondigen!'

Ze hadden tegelijk gelachen.

'Weten alle coeliakiepatiënten dit?'

'Veel patiënten merken het meteen als ze een keertje smokkelen; bij sommigen duurt het wat langer. Het is persoonlijk. Allemaal weten ze van het strikte dieet.'

Weer begon ze te lachen, en ze raakte heel even zijn arm aan. 'Maakt u zich nou maar geen zorgen. Het is gemakkelijker dan het lijkt. U moet even de knop omzetten, dan komt het vast wel goed.'

Hij wilde haar dolgraag geloven.

Enkele maanden later was het tijd voor de biopt waarmee Clemens hoopte dat hij het onweerlegbare bewijs zou krijgen. Hij had zelf aangedrongen op de procedure, wilde absoluut zeker zijn dat er geen sprake was van een vergissing, en had er wel een ongemakkelijke gastroscopie voor over.

'Je doet het goed, hoor, heel goed.' Een verpleegster had met een doekje een traan weggeveegd. Dokter Wijnbergen had zijn instrument, een zwarte buis waar een cameraoog doorheen kon, via mond en maag in Clemens' twaalfvingerige darm gestoken en beschreef nuchter wat hij zag: 'Hier zie je de ontstoken darmwand. Geen darmflora te zien. Geen twijfel mogelijk.'

Clemens mocht meekijken op een monitor, maar behalve roze en rode vlekken zag hij niets. Ook de verpleegster, van wie Clemens de naam alweer was vergeten, kon er niet veel van maken.

'Het geeft niet dat je het niet ziet,' zei de arts tegen haar. 'Normaal zie je nu plooien in de darmwand, die het voedsel vasthouden en waarmee voedingsstoffen worden opgenomen in het bloed. Het verbaast me wel dat de darmen inmiddels niet meer hersteld zijn. Je houdt je toch aan je dieet?'

Nog steeds keek en sprak de arts opgewekt, alsof hij nog een puzzel had op te lossen. Clemens concentreerde zich erop zijn slikreflex te onderdrukken; hij mocht geen seconde versagen, of hij voelde de antiperistaltiek rijzen. Een akelige kramp. Hij dacht aan de woorden van de zuster: 'Probeer zo veel mogelijk door je neus te ademen, heel licht te ademen.' Goddank voor de vrouw. 'Goed, nu nog wat weefsel wegnemen,' zei Wijnbergen. Met een snelle beweging trok hij de camera uit de buis en duwde er iets anders doorheen. Clemens zag niet wat het was, maar hij voelde het in zijn darm happen. Of was dat verbeelding? Hebben darmen wel zenuwen? Hij meende ergens gelezen te hebben van niet. Dat zou verklaren waarom patiënten hun woekeringen pas voelen als het te laat is, wanneer de andere organen in de verdrukking komen. Ook Clemens' onderbuik was traag van begrip.

Meteen na zijn biopt reed Clemens naar het diepe zuiden, naar zijn moeder en zus. Ze hadden hem al vaker gevraagd wat er speelde. Nu kon hij het niet langer afdoen met opmerkingen als: 'We weten het nog niet zeker', of: 'Ik heb een dieet gekregen, maar we weten niet of het aanslaat.' Hij had ze niet ongerust willen maken.

Zoals inmiddels gebruikelijk nam hij de auto, een Mitsubishi die de verkoper hem had aanbevolen om zijn duurzaamheid en kwaliteit. Zelf sprak hij over het ding als zijn 'missiebusje', meer om het gebruik te rechtvaardigen dan uit ironie, veronderstel ik. Zo grappig was het ook weer niet. Volgens mij is het wel een treffend voorbeeld van de manier waarop de Kerk inmiddels Clemens' persoonlijkheid had overgenomen: in plaats van een robuust motorpak droeg hij een kamgaren uniform. Kreukels verboden, ook bij de familie.

In zijn dagboek beschrijft hij de rit, vertelt hij hoe hij een radiozender uitkoos waar een reportage werd uitgezonden over de hem onbekende Nick Drake. Een vroeggestorven singer-songwriter met *a skin too few*. Zijn buitengewone gevoeligheid was de bron van prachtige muziek, maar ook van angstwekkende depressies. Hij hoorde hoe Drakes zus vertelde dat hij tijdens zijn spaarzame concerten eindeloos kon flageoletten tot de alternatieve stemming van zijn gitaar weer exact goed klonk. 'Het duurde allemaal veel te lang. Waarom hij niet met twee of drie gitaren tegelijk optrad, heb ik nooit begrepen.' Clemens begreep de oplossing maar half, maar het gesprek leidde hem af. Toen hij op de A2 de randweg Eindhoven aanhield, kondigde de presentator het volgende nummer aan: 'Black Eyed Dog.'

'De eerste klanken vingen mijn aandacht, het gejaagde gitaarspel dreef mijn hartslag omhoog, zijn stem nam mijn brein over. Ik moest slikken tegen mijn tranen. Gelukkig nam de machine de regie over: de banden hielden contact met het asfalt, de vangrails stonden op comfortabele afstand, de witte lijnen ordenden het verkeer moeiteloos. Als een trein kwam de auto aan bij de juiste afslag, reed moeiteloos het viaduct op, draaide naar rechts en vervolgde de weg naar mijn geboortegrond. Ik hoefde er niets voor te doen. Het leek alsof ik in trance was. De auto kwam langs de kazerne en reed de bebouwde kom in via de Nieuwedijk.

Pas toen een bijtende geur van verse varkensmest de cabine binnendrong, kwam ik weer tot mezelf. Recht voor me rees het silhouet van de grote kerk omhoog: een enorme toren van baksteen. Daarna zag ik aan mijn linkerkant een trekker met grijze gierton over een veld rijden waar de maïsstoppels van vorig jaar nog zichtbaar waren. Vloeibare uitwerpselen spoten metershoog in een halve cirkel de lucht in en regenden neer op de zwarte grond. Welkom thuis.'

Het was fris in Huize Christine, zoals altijd. De gietijzeren kachel, een vierkante allesbrander, stond ongebruikt ruimte in beslag te nemen, terwijl de heteluchtverwarming slechts lauwe tocht door het huis wist te blazen. Niet de beste keuze van zijn vader. Clemens rilde toen hij aan de eettafel ging zitten. 'Ik krijg bijna zin om de kachel aan te steken,' had hij gezegd, of woorden van die strekking.

'Je weet dat ik daar niet aan begin,' antwoordde zijn moeder. 'Als je wilt, kan ik een poging doen.'

'Hou toch op, ik zet er wel een brandertje bij.' Terwijl ze wegstommelde naar de garage had Clemens zijn aandacht gericht op de drie ingelijste tijdschriftfoto's van Rembrandt: een klein kind met een parelende traan onder zijn oog, de Verloren Zoon, een jonge vrouw. Hun deel van de erfenis van oma Driessen.

Zijn moeder riep naar boven dat zijn zus ook moest komen, sloot de tussendeur en plaatste een straalkacheltje aan Clemens' voeten. In de plastic kast die ooit wit was geweest, waren een verwarmingselement en een ventilator gemonteerd. Schrapend kwam het ding op gang. Ze knikte goedkeurend en richtte het op zijn knieën. Uit de eikenhouten buffetkast haalde ze kopjes, een melk-en-suikerstel, alles in het vertrouwde Jäger-porselein. Ze nam een pak koekjes uit de kast.

'Voor jou gehaald,' zei ze. 'Glutenvrij.'

'Laat de verpakking eens zien.'

'Geloof je me niet? Ik heb het zelf nog nagevraagd in de winkel.'

Clemens lachte verontschuldigend, maar stond toch op, nam het uit haar handen en schudde toen zijn hoofd.

'Hier zit spelt in.'

'Ja, glutenvrij. Dat spul komt van de oude farao's. Dat moet wel goed zijn, toch?' Vragend keek ze naar haar priesterzoon.

Clemens zag haar bezorgdheid en aarzelde of hij het moest uitleggen. Gelukkig kwam Angelena van boven, sloot de tussendeur met een klap en greep zijn schouder voor de rituele luchtkusjes.

'Hé, broertje,' lachte ze. 'Alles goed?'

'Er zitten gluten in de koekjes die je moeder heeft gekocht.'

Angelena haalde haar schouders op, nam de rol uit zijn handen en ging zitten. Ze trok het pak open. 'Je moeder – ónze moeder,' zei ze.

Zwijgend zaten ze bij elkaar. Clemens nam een slokje van zijn koffie en hield het kopje in zijn handen, zijn ogen gericht op het pak. Angelena nam een koekje, zijn moeder ook. Zelfs bij deze eenvoudige handeling vielen er al kruimels op tafel. Clemens hield ze in de gaten alsof ze pootjes zouden krijgen.

'Ze zien er wel gezond uit,' zei Angelena, en ze beet er een hoekje af, zodat de integrale korrels zichtbaar werden. 'Hoe was je onderzoek?'

'De diagnose is nu definitief,' antwoordde hij.

'Het blijft een verrassing, vind ik. Je bent toch nooit echt ziek geweest, hebt altijd alles kunnen doen wat je wilde. Ik begrijp niet hoe dit me zomaar kan zijn ontgaan.' Ze klonk schuldbewust toen ze de vraag uitsprak.

'Zo gaat het vaak. De meeste patiënten weten niet eens dat ze het hebben, maar denken dat hun klachten bij het leven horen. Of ze hebben helemaal geen klachten. Coeliakie komt als een dief in de nacht.'

'Vervelend, hoor,' mompelde zijn zus, en ze slikte een hap weg. Meteen reikte ze over Clemens' kopje om nog een koekje te pakken.

'Let toch op!' Bruusk duwde hij haar hand weg om het kopje vrij te houden van zelfs het minste kwaad.

Sprakeloos keek Angelena hem aan en schudde haar hoofd.

'Maar jongen toch,' sprak zijn moeder.

Arme vrouw.

Arm priestertje, dat ook. In zijn dagboeken kom ik steeds meer teksten tegen die niets te raden overlaten: 'Vandaag voel ik me echt alleen. Langzaam dringt het besef door dat mijn boterhammen al die jaren niet veilig voor me zijn geweest. Zelfs mijn heilig Brood was onveilig. Het voelt alsof ik vloek op papier nu ik dit zomaar verwoord. Heiligschennend. Stel je voor: ik ben ziek van brood. Ziek van het heilig Brood. Ziek van God. Nergens is er rust voor mij. Mijn vijand jaagt me op, niets kan me nog redden. Mijn tranen zijn mijn brood geworden, dag en nacht. David had niet kunnen weten hoe diep zijn visioen van duisternis een troost voor mij zou betekenen: liever tranen dan brood.'

Hij lijkt zijn hele leven in een ander perspectief te plaatsen, in een nieuw licht te zien: 'Mijn hele leven heb ik vereenvoudigd tot een simpele Aanbidding van het sacrament, tot een kalm zitten in de presentie van de Heer. Alles heb ik hiervoor afgewezen: liefde, opleiding, geld, status. Alles liet ik los, bewust en met voorbedachten rade. Alleen mijn overgave aan de eucharistie telde nog: ik zou brood gaan brengen aan hongerigen. Heilzaam, gezond, goed tarwebrood. Dodelijk brood. Dood brood.'

Een paar dagen later: 'Ik kan niet vertellen hoe diep ik ervaar dat mijn hele bestaan tot nu toe een vergissing is geweest: vanaf mijn achtste, toen ik ervoor koos om misdienaar te worden, wilde ik alleen maar het pad kiezen van de priester. Ik besefte langzaam wat dit impliceerde, en hoe langer ik me hierop vastlegde, hoe dieper ik ervaarde dat het priesterschap een tegentijds pad van opoffering is. Je wordt een bescheiden onderdeel van een geheel dat groter is dan jij, en dat is prachtig. Een enkele korrel die verdwijnt in het meel. Beangstigend ook. Je geeft jezelf weg; dat gebeurt er in de loop van de jaren. Het hart van de priester is de overgave. De hostie is er het ultieme symbool van. Ik heb een stuk gif als hart.'

Met de week worden zijn opmerkingen scherper en zorgwekkender: 'Brood is lekker dankzij de gluten. Samengevat ging dat volgens mijn encyclopedie als volgt: de mensheid heeft uit alle grassen in de wereld het graan gekozen, omdat daar zo veel lekkere opslageiwitten in zaten. Je bakte er gewoon betere koeken van. Daarna zorgden we er via onze manuele selectie en rassenveredeling voor dat de hoeveelheid gluten nog meer toenam, tot er inmiddels meer dan dertig procent gluten in ons lekker luchtige en knapperige croissantje zit. Veel te veel voor mijn ouderwetse darmen. Eigenlijk ben ik dus een slachtoffer van het civilisatieproces. Waren we maar jagers en verzamelaars gebleven.

Welke godsdienst staat er eigenlijk aan de basis van onze moderne westerse beschaving? Juist. Geen wonder dus dat we in het christendom de motor achter die beschaving vereren. Het schijnt zo gegaan te zijn: de oude jagers en verzamelaars leefden van dag tot dag, hadden niet veel tijd voor cultuur of beschaving. Pas toen de eerste boeren erin slaagden om meer voedsel te produceren dan ze op die dag wisten te consumeren, ontstond er vrije tijd. Cultuur. Ze gingen handelen met hun overschot. Er ontstond privébezit. Slavernij. Een patriarchaat waarbij de man zijn fysieke macht ging uitoefenen. Er ontstonden oorlogen om schaars landbouwgebied, massamoorden op het ene volk om het andere te voeden. Natuurvernietiging. De stad. Brood is in werkelijkheid niet het symbool van God, maar van beschaafd egoïsme! Onze cultuur is ondenkbaar zonder graan, zonder landbouw. Alles begint verdomme met graan! Hoeveel mensen er ook rijst eten in het Oosten en maïs in het Westen, toch heeft onze moderne geglobaliseerde wereld aan geen grassoort zoveel te danken als aan die verdomde korenaar. Op je knieën voor het almachtige fundament van onze *way of life*: Vadertje Graan.'

Zijn obsessie met gluten dringt zich binnen in zijn gebed:

'Geef ons heden ons dagelijks brood. Geef ons heden ons glutenvrije brood. Geef ons heden ons glutenvrije heilige Brood. Geef ons heden ons glutenvrije heilige veilige Brood. Want Ik ben het Brood des Levens. Het glutenbevattende Brood des Levens. Wie van mij eet zal in eeuwigheid geen honger meer hebben. Want je arme darmen zullen wegrotten met elke hap, tot je in eeuwigheid geen brood meer nodig zult hebben, glutenbevattend of niet. Want Ik ben het levende Brood. Geef ons heden ons levende Brood. Geef je brood niet aan de honden. Werp je parels niet voor de zwijnen. Zwijnen en honden eten hun eigen brood, hun glutenbevattende brood, hun eigen oordeel met elke hap en iedere maalbeweging van de kaken. Hun brood is hun dood, maar Ik ben het Brood des Levens. Spreek slechts één woord en ik zal gezond worden. Mijn komst in je hart, Mijn langverwachte wederkomst na de transsubstantiatie van het aardse brood. Het Brood des Hemels, het manna dat leven geeft in de woestijn, daar zal in voorzien worden. Ik Zal Er Zijn Voor Jou.'

Een halfjaar later schrijft Clemens nog net zo fobisch als in het begin: 'Als je een blauwe eend koopt, zie je ineens overal blauwe eenden rijden. Als je zwanger wordt, zie je ineens overal zwangere vrouwen. Als je gluten niet kunt verdragen, zie je ze overal.'

Volgens mij zag hij niets anders meer.

Aanhoudend gebed

Zelf wist ik op dit moment nog niets van zijn diagnose. Ik had juist de overgang gemaakt naar het kloosterleven, waar ik de stilte die me aanvankelijk zo had aangetrokken langzaam en haast onmerkbaar voelde veranderen van een weldadige bevrijding in iets anders. Ik wist nog niet waarin. Met mijn verstand wist ik dat ik door een natuurlijke fase van disbalans heen ging, dat de aanpassing van het vrije leven naar de kloosterroutine tijd zou kosten, maar dit besef maakte de ervaring niet minder emotioneel. Vooral de stilte tussen de diensten viel me zwaar, waarschijnlijk doordat ik deze niet kon opvullen met muziek, met een geestelijk gesprek of zelfs maar met wereldnieuws via de televisie. Als onder een deken van sneeuw voelde ik me afgesloten van de warme wereld, kreeg ik de indruk dat hele hersendelen niet meer van zuurstof werden voorzien en langzaam afstierven. Ik beleefde een donkere nacht, laten we het daar maar op houden. Ook al hadden we contact gehad, dan was ik waarschijnlijk toch niet in staat geweest om Clemens te geven wat hij nodig had.

Dat is de waarheid.

Gelukkig was daar nog de bisschop zelf. Als er iemand de verantwoordelijkheid kon en diende te nemen voor de jongen, dan was hij het wel. Hij had het immers formeel beloofd, bij de wijdingsplechtigheid een paar jaar eerder, al realiseerde hij het zich misschien maar nauwelijks, zo vaak als hij hetzelfde ritueel al had voltrokken. Bij dezelfde gelegenheid waarbij jonge mannen hun celibaat en gehoorzaamheid uitspreken, nam de bisschop een levenslange, bloedserieuze zorgplicht op zich, vergelijkbaar met die van een vader of een gekozen volksvertegenwoordiger. Zoals het spreekwoord luidt: 'Genade stroomt niet alleen bergafwaarts.' Het is geen water.

Behalve zijn maandelijkse toelage had Clemens hier maar weinig van gemerkt. De bisschop had gezwegen tijdens de ophef rondom Clemens' beleid inzake de liturgische voorschriften. Geen woord van bemoediging, verzoek om uitleg, al was het maar een verwijt geweest. Dat hij een maand na zijn diagnose de stem van de goede man mocht horen, al was het door de telefoon, was een prettige verrassing. Dat hij hem met barse stem uitnodigde voor een bezoek was zelfs meer dan hij had durven hopen: 'Ja, deze week nog. Zeg je afspraken maar af. Dit gaat voor.'

Als ik mijn ogen sluit, zie ik zonder moeite hoe Clemens na zijn avondmis naar het centrum van de bisschopsstad reed. Hij parkeerde op het plein, als altijd aan de voet van het onvolmaakte monument van Bossche godsvrucht. Hij liep om de kerk heen naar de zijingang van de Mariakapel, waar net als in zijn eigen parochie een beeldje stond van hout, met identiek kleurschema. Deze Zoete Moeder droeg een zilveren kroon, een scepter, en natuurlijk het Kind. Waxinelichtjes beschenen haar van onderen, met een levensgroot gebed naast haar aan de pilaar, achter glas alsof het een Hollandse meester betrof.

Clemens liet een gulden in het metalen offerblok vallen, nam een waxinelichtje en wist het met enige moeite aan te steken. Er was ruimte genoeg om zijn offer bij de andere te plaatsen. Hij zocht een plaats uit op een geschikte bank en had al een Weesgegroet voltooid voordat hij het in de gaten had. De ordebewakers herkenden hem; hij zag ze met elkaar fluisteren. Alsof hij voor onrust kon zorgen.

Daarna begaf hij zich naar de Parade 10, dat de helft van het bisschoppelijk paleis herbergde, de privévertrekken, een pand dat de Kerk in de negentiende eeuw had geërfd van een bemiddelde weduwe. Een nummer verderop was de organisatie van het bisdom gehuisvest: economen, archief, telefoniste en bisdomstaf. Het was ook een bedrijf natuurlijk.

Toen de bisschop de deur opende, schoot diens gezicht een fractie te laat in een vriendelijke plooi. Hij stak zijn hand uit en trok Clemens zijn wereld binnen, over de drempel van zijn hoop.

'Geef je jas maar.' Met dezelfde professionele minzaamheid waarmee hij jaarlijks de voeten van zijn gelovigen waste hing hij de overjas op een hanger en ging hem voor naar zijn studeerkamer die ook dienstdeed als huiskamer. Clemens kende het principe van pastoor Van Summeren. Een salontafel met fauteuils, het bureau in de verre hoek, tapijt op de vloer om de zones aan te geven. De bisschop wees naar een stoel met een bekleding van bleke bloemen, waarop Clemens gehoorzaam plaatsnam. Zijn handen gingen over de gesneden vogelkop in de armleuning; het fluwelen gevoel van oud hout kon hij niet weerstaan.

'Koffie?'

'Hebt u misschien thee?'

'Geen thee, koffie. Ik heb wel melk en suiker, als je wilt.' Kordaat bediende de bisschop zijn gast, reikte hem een kopje van hotelporselein aan en nam een schaaltje van de buffetkast. Mariakaakjes natuurlijk.

'Hier.'

'Nee, dank u, monseigneur.'

'Weet je het zeker? Je kunt best wat vlees op je botten gebruiken. Niet zoveel als ik, maar een beetje toch wel.' Met een lach wreef hij over zijn buik. Toen keek hij hem vragend aan. 'Het gaat de laatste tijd niet zo goed met je, Clemens. Dat hoor ik tenminste.'

'Het gaat beter, monseigneur. Ik hoef alleen maar van de gluten af te blijven.'

'Dan laat je dat toch? Ik zie niet in wat het probleem is. Je hoeft alleen maar je eetgewoonten wat aan te passen. Belangrijker is: wat doe je met de hostie?'

'Ik gebruik glutenvrije uit Sint-Michielsgestel.'

'Goed zo. Weet je wat je verder moet doen? Blijven bidden. Je moet de Mis blijven lezen, anders gaat het fout. Weet je nog? Je bent priester en dus moet je blijven celebreren, hoe moeilijk het misschien ook wordt. Oké?'

Clemens knikte en dronk van zijn koffie.

'Goed, dat is dan opgelost. Nu heb ik nog een kwestie te bespreken. Inmiddels heb je ruim drie jaar gewerkt in je eigen parochie. We waren ons ervan bewust dat het een zware uitdaging zou zijn, maar je hebt je staande weten te houden. Nu is het tijd om verder te kijken.'

Kalm luisterde Clemens naar de bisschop. Hij constateerde dat hij het toch goed had gedaan, hoorde dat hij verder mocht studeren, in Rome nog wel. De oude belofte ingelost, al had de bisschop besloten dat hij zich zou verdiepen in de kerkgeschiedenis, niet in filosofie. Niet mijn wil, maar Uw wil geschiede. Clemens knikte. Meer toestemming was overbodig.

Na de koffie ging de bisschop hem voor naar zijn privékapel, aan de achterkant van het gebouw. Ze betraden een neogotische ruimte, die Clemens eerder bedrukte dan tot godsvrucht bracht. Het waren de ramen. Ze waren gevuld met sinister glas-in-beton en toonden een scène uit de apocalyps: Maria stond op het punt haar kind te baren, maar werd besprongen door een veelkoppige gehoornde draak. De dreiging hield aan totdat de laatste zonnestraal was weggestorven.

Samen baden ze de completen en ze sloten het gebed af met het Salve Regina. Al was de melodie overbekend, toch klonken hun stemmen onvast wanneer ze de hoogte in gingen. Zo vaak zongen ze geen duet.

Na het laatste woord liepen ze plechtig gestemd naar beneden. In stilte nam de bisschop de jas van de kapstok en hield deze achter hem. Clemens stak zijn gestrekte armen in de mouwen, de bisschop trok de jas over zijn schouders.

'Zo, dat ziet er weer goed uit. Je krijgt nog een schriftelijke bevestiging.'

Bij de deur nam hij nog eens zijn hand.

'Ik zal voor je bidden. Vergeet ook mij niet.'

Zo was het dan besloten. Met zijn priesterboord als toegangskaartje zou Clemens zijn intrek nemen in het Collegio Olandese. Hij reserveerde geen hotel of studentenkamer, regelde geen stacaravan op een van de campings rond het Meer van Bracciano. Geen primitief leven voor de godgewijde in dienst van het kerkelijk instituut; voor minder dan de Aventijn zou hij zijn pastorie niet verlaten. Clemens verbaasde zich over het geluk dat hem ten deel was gevallen:

'Ik begrijp er werkelijk niets van. Blijkbaar is de bisschop toch tevreden met mijn werk, ondanks alle problemen. Kennelijk ziet hij een toekomst voor me die niet alleen draait om de parochie. Ik kan er nauwelijks bij dat ik in de eeuwige stad mag gaan studeren in oktober. Ongelofelijk! Waar heb ik deze genade aan verdiend? O wacht, genade is altijd onverdiend, daarom dus!'

De toon waarop hij schrijft – we zijn inmiddels in augustus 1999 beland – lijkt ook te veranderen, wordt positiever. Ik krijg de indruk dat hij opgetogen was om zijn nieuwe kansen, om de mogelijkheden die zich aandienden. Fysiek ging het nog niet helemaal goed, maar wel in de juiste richting. Zijn gewicht nam langzaam toe, zijn vermoeidheid leek te verminderen. Na zijn tropenjaren op de Brabantse missiepost kwam hij even op adem.

'Vandaag liep ik tussen de graven achter de kapel door en bedacht ik ineens dat mijn leven weliswaar niets dan lucht en leegte is, een tijdelijk bestaan als een wandeling over een veel te korte duikplank, maar tegelijk ook een prachtige uitdaging. Ik heb de kans om een salto te laten zien. Een dubbele zelfs. Met een schroef. En dan landen in het warme bad van Gods liefde.

Een parochiaan vertelde me dat hij me zou gaan missen. Ik lachte: "Als kiespijn zeker", waarop hij alleen maar zijn hoofd schudde. Bleek dat hij het echt meende.'

Over het bescheiden afscheid schreef hij: 'Mijn laatste missen afgelopen zondag waren niet drukker bezocht dan vorige week. Na afloop had het kerkbestuur een kleine receptie georganiseerd: koffie, cake en Fanta voor de kinderen. Ze hadden zelfs een glutenvrij koekje geregeld, een goudkleurige pennenset met inscriptie en een uitvoering van Paganini's caprices. Duivels virtuoze muziek, hoe attent. Toen een kerkmeester vroeg naar mijn opvolger, leek ze zelfs te accepteren dat ik mijn schouders ophaalde en zei dat het bij de bisschop lag. Bij het afscheid waren verschillende leden van het zangkoor en van de werkgroepen avondwake, kerkpoetsen, kerkhofbeheer. Gelovigen. Iedereen leek in een uitstekende stemming. Alleen de koster heb ik niet meer gezien.'

Schoon schip zou hij maken: 'Op mijn brevier en bijbel na pakte ik alle boeken in dozen. Ook de *Heilige overgave* kon eigenlijk wel weg, maar toch besloot ik deze te redden. Het ging in mijn rechtermotorkoffer, samen met enkele fotoalbums, de dagboeken natuurlijk, wat cassettes – alles wat me van belang leek om te onthouden. Mijn lieve verleden, noemde ik het in gedachten. Daarna sjouwde ik dozenvol overbodige boeken de lange trap af en stapelde ze op in de gang.

"Neem vooral mee," schreef ik op een vel papier.

Daarna reed ik met het missiebusje naar de lokale garagehouder, die me niet veel kon geven, ook al was het van een pastoor geweest. Ik schudde de ruwe hand en wandelde met een paar honderd gulden benzinegeld terug naar de pastorie. Als kleding behield ik enkele zwarte pakken, wat ondergoed en sokken, zeven shirts. Mijn schoenen, een overjas. Alles wat ik niet in de koffers kreeg, ging in vuilniszakken. "Voor de missie."

Ik kon niet ophouden met glimlachen.

Beide koffers haakte ik vast aan de motor. Daarna nam ik de spanbanden en sjorde ze strak. Ik trok de machine van de middenbok, duwde hem naar het plein en sloot de garagedeur. Voordat ik me in mijn motorkleding hees, liep ik nog een keer langs de pastorie en raakte de pijlpunten aan van het nieuwe hekwerk. Ik trok aan de deurbel, alleen om de zuivere klok te horen. Zegen voor eenieder die hier luidt. Hij klonk net als de bel in de Goede Herder. Even hield ik de sleutels vast in de smalle opening van de brievenbus, en liet ze toen naar beneden glijden. Het was een prachtig huis, dacht ik, een prachtig glazen huis.

Ik liep langs de bomen op het plein, keek naar de enorme kastanje in de achtertuin. Niet mijn achtertuin – de achtertuin. In de eerste maand dat ik er woonde werd die gesnoeid. Het kerkbestuur had een gespecialiseerd bedrijf ingeschakeld dat de boom met hoogwerkers, veiligheidsgordels en kettingzagen te lijf ging. "Dan valt het licht weer op de stam," was me uitgelegd. Dat ontlastte de takken die anders bleven doorgroeien om zonlicht op te vangen. Tot ze braken.

Het geluid van de motor weerkaatste tegen de kerkdeuren, echode tussen de pastorie en het gemeenschapshuis, drong ongetwijfeld het kerkgebouw binnen tot aan Mariaretabel en tabernakel. Het was mijn laatste groet.'

Over zijn laatste rit in Nederland vertelde hij op een tape met de titel *Varia*. Tussen de meest uiteenlopende losse opmerkingen klinkt ineens het volgende: 'In plaats van de kortste weg te kiezen naar de A2, reed ik door het centrum van de bisschopsstad. Ik volgde de Zuidwal en keek uit over de groene polder aan mijn rechterhand, zag het bronzen geschut boven de hoge vestingmuur, een vette priestersigaar op de rand van een asbak. Ik zag mezelf in gedachten weer lopen over het pad door de velden, zigzaggend tussen skeelers en loslopende honden, uitwijkend voor joggende vrouwen. Groetjes hier en daar, alsof we even niet in de koude stad woonden.

Eindelijk zou ik het voorspelbare achter me laten. Toen ik langs het paleis van de bisschop kwam, draaide ik het gas vol open, schoot er in een halve seconde voorbij, vloog langs het kale front van de kathedraal en voorbij Sint-Janneke. Vijftig meter en een seconde later kneep ik hard in mijn voorrem en sloeg de Hinthamerstraat in, naar het kanaal. De stad veranderde in een wervelend lint van vrolijke kleuren, terwijl de wind mijn helm met geraas omhulde en achterovertrok. Vastberaden knikte ik mijn hoofd een beetje naar beneden en gaf wat gas bij. Het seminarie liet ik rechts liggen.

De Honda met de rode tank schoot langs de Zuid-Willemsvaart in de richting van Veghel, voortgedreven door een snel-vuur van explosies in de twee watergekoelde cilinders van aluminium. Gedoseerde oerkracht. Ik passeerde Heeswijk-Dinther, Keldonk en Boerdonk. Ik reed over de smalle twee-baansweg. Op de flitspaal ter hoogte van de graansilo's van Cehavé na leek er geen enkele snelheidsbeperking te gelden. Rechts het spiegelende kanaal, links de onvermijdelijke Brabantse eikenbomen.

Ik nam op de weg niet veel ruimte in beslag, haalde in waar het kon, voerde mijn snelheid zo hoog mogelijk op. Telkens telde ik de versnelling waarin ik me bevond: twee – drie – vier, dan terug. Een eindeloze serie getallen, aangevuld met infor-matie over het toerental, de snelheid, de afgelegde afstand op een volle tank benzine. Hoeveel kon ik nog verder? De machi-ne nam mijn bewustzijn over, niet anders dan de rozenkrans dat kon doen. Maar dat was alweer maanden geleden.

Pas toen ik door een bos Handel binnenreed, kwam ik weer tot mezelf. Ik liet de motor op eigen kracht afremmen, duwde ontspannen het vizier van mijn helm omhoog, rechtte mijn rug en schudde mijn schouders los. Rustig reed ik om het vrij-staande kerkgebouw, parkeerde mijn motor in de buurt van de pastorie en stapte af. De helm hing ik aan een spiegel, mijn handschoenen gingen erin. Mijn haar plakte pluizig aan mijn schedel.

In plaats van de kerk binnen te gaan en een kaarsje aan te ste-ken, liep ik langs de heg die de privacy van de pastorie moest waarborgen. Aarzelde even, belde aan. Niemand deed open. Na de tweede keer bellen liep ik de voortuin in en keek door het raam. Het interieur kwam me onbekend voor, al stonden er de gebruikelijke eikenhouten eettafel, een oud bankstel, een bureau. Ik had zo'n zelfde setje nagelaten. Was Van der Zee dan al verhuisd? Ik had beter contact moeten houden.

Terwijl ik terugliep naar de motor, kwam me een oudere dame tegemoet, met verrassend rood haar voor haar leeftijd. Een bekend gezicht.

"Kan ik u ergens mee helpen?"

"Ik zoek pastoor Van der Zee," antwoordde ik, terwijl ik me afvroeg hoe ze heette.

"Die is alweer een jaar weg," zei de vrouw. "Op een ochtend was hij de Mis aan het lezen, toen hij ineens niet meer uit zijn woorden kwam. Hij was zelfs tijdelijk blind."

"Ik dacht dat het beter ging," zei ik.

"Hij woont weer bij zijn ouders, geloof ik. We hebben een nieuwe priester, uit India." Ze lachte. "We zijn een missieland geworden, kunt u dat geloven?"

"En hoe bevalt dat?"

"Goed genoeg. We zijn blij dat we nog iemand hebben gekregen. Dankzij Maria natuurlijk. Maar weet u dat u me heel bekend voorkomt?" Ze keek me onderzoekend aan.

"Dat hoor ik wel vaker," zei ik. "Dank u voor de informatie." Snel drukte ik de helm over mijn hoofd, trok mijn handschoenen aan en startte de motor. Ik reed weg terwijl ik nog even een hand opstak. Mariet Verstegen, lid van de siergroep, zwaaide terug.

Ondanks de opluchting dat ik niets had moeten verklaren of vertellen, voelde ik tijdens de rit de spanning toenemen. Mijn moeder verwachtte me om zes uur aan tafel; dat was lekker krap, een welkom excuus om gas te geven. Sinds ik dankzij de lessen lokale kerkgeschiedenis had begrepen dat mijn geboortegrond nog maar honderd jaar geleden een drassig wingewest was geweest, een generaliteitsland, bewoond door turfstekers, aardappeleters en kaboutervrienden, reed ik er met een andere blik doorheen. In dit vlakke land lagen geen lommerrijke plassen, stroomden geen grote rivieren, was geen verbeten strijd gevoerd tegen het oprukkende water. Hier werd generaties lang gevochten tegen de honger en de heren van Holland. Er lagen hoogstens wat kleine boerderijen en dorpen, verbonden door zwarte repen asfalt, waarover je zo snel mogelijk naar de grens of naar het westen kon rijden. Ik had ook de keuze van mijn vader voor de motor beter begrepen.

Iets te hard reed ik door Gemert en De Mortel, sloeg in Rips rechts af richting Deurne, vanwege de mooie weg door het bos. Het asfalt was glad, de knik halverwege gaf me de kans om even door te halen. Ik koos de derde versnelling, duwde met mijn linkerknie tegen de tank en gleed moeiteloos door de bocht, accelereerde nog eens.

Ineens moest ik Ysselsteyn zien: het dorp waar de ouders van mijn vader naartoe waren getrokken. De stad Amsterdam was te gevaarlijk geworden, had oma eens uitgelegd: "Jouw opa kon zijn mond niet houden! Hij maakte steeds ruzie met de bezetters omdat hij zo veel Joodse vrienden en klanten had; dat was zeker misgegaan. Ik wilde niet weg, maar we moesten wel." Ze zijn met het hele gezin op de trein gestapt. In de hongerwinter van 1944 werd mijn vader geboren.

Het voorouderlijk huis reed ik voorbij zonder in te houden: de rommelige etalage, het onoverzichtelijke atelier, waar het altijd naar lijm rook, waar overal schoenendozen stonden en restjes leer op de grond lagen, de kleine rondjes van de perforatie. Het was bekend genoeg. Ik zag de vage letters LEDERWAREN in een flits en begaf me naar de witte kerk in het hart van het dorp, stapte af en liep met mijn helm op naar de begraafplaats die achter de kerk lag. Het graf van oma. Nu pas trok ik de helm van mijn hoofd. Ik zakte door mijn knieën en raakte even met mijn rechterhand het zwarte marmer aan. Ik keek naar de gouden letters en cijfers die erin gegraveerd waren, zonder ze te lezen.'

De volgende ochtend nam hij afscheid van zijn moeder en zus, en vertrok definitief.

Een goede nacht

Stel je voor: Clemens reist door Europa, van noord naar zuid, van het zogenaamde land van orde en redelijkheid naar de warmbloedige zon. Hij had zijn bezittingen teruggebracht tot een hoeveelheid die hij met twee handen kon dragen. Niet minder dan monastiek arm was hij geworden, uitgezonden om nieuwe dingen te leren, vastbesloten om zich ook in den vreemde aan zijn nieuwe spijswetten te houden. Hij voelde zich niet langer gebukt gaan onder pastorale verplichtingen, had geen enkele boodschap te verkondigen – tenminste, zo lang als dit moratorium zou duren. Genadetijd.

Zo zie ik hem graag.

Met elke meter die hij zich verplaatste verwijderde hij zich ook van Nederland, van het klooster waar ik nu probeer om hem op te roepen, me hem voor de geest te halen. Hij verwijdert zich van mij; ik jaag achter hem aan, veel te laat natuurlijk, en vergeefs. Hij heeft zo'n grote voorsprong.

De kloostergemeenschap, Abt Sebastian voorop, heeft dat natuurlijk ook door. Ze hebben het eerder gezien, vrees ik. Ze bezitten de zelfbeheersing en levenswijsheid die nodig is om zich af te sluiten voor al te grote betrokkenheid; ze zien het grote plaatje. Ze koesteren het pastorale vermogen om empathie met distantie te combineren. Ze vertellen me dat ik nog maar weinig tijd heb om mijn verhaal te voltooien. Ze hebben me laten weten dat ik afstand zal moeten doen van de erfenis van mijn oud-leerling, nog niet per direct, maar snel. Ze willen me terug in het gareel.

Ik heb nog een dag nodig, of een enkele nacht. Meer is ook niet haalbaar, vrees ik. Mijn ogen zitten zo vol met tranen dat ik ze nauwelijks durf te openen, uit vrees om te verdrinken. Mijn buik kent geen honger, ook al heb ik in geen dagen iets voedzaams gegeten: er zit een slot op mijn keel. Ik lig maar op mijn brits met de walkman op mijn borst, al zijn de batterijen allang leeggetrokken. Toch hoor ik hem fluisteren, als ik me heel stil houd, als ik zo zacht mogelijk ademhaal, zo traag mogelijk mijn hart laat kloppen. Op mijn minste beweging vlucht hij weg naar het schaduwrijk. Dan moet ik weer uren lezen, schrijven, werken om hem terug te lokken.

Clemens is een schuw nachtdier.

Ik ben zijn vermoeide drijver.

Het vervolg van de reis sla ik dus over – zijn verblijf in de hotelkamer net onder Milaan, zijn rit over de Grande Raccordo Anulare, de Via Appia Nuova, tot hij eindelijk in de namiddag aankwam in de doodlopende zijweg van de Via Leon Battista Alberti, waar het Nederlands College gesitueerd was. De Via Ercole Rosa. In Nederland had het heel wat geleken; in werkelijkheid bleek het een geïmproviseerde parkeerplaats waar stoffige Fiats bij elkaar stonden geharkt, een afwerkplek zelfs, te oordelen naar de condooms tussen de wagens. Clemens was niettemin onder de indruk van de sfeer, van de manier waarop de aardetinten van de gebouwen contrasteerden met de streeploze hemel. Alles leek bij elkaar te horen in Rome. Het donkere asfalt sidderde in de zonnestralen, zijn motorkleding had door een styliste uitgezocht kunnen zijn. Een Lancia Fulvia kwam voorbij, de kap open. Met elke ademhaling voelde Clemens de warmte zijn lichaam binnendringen, zich nestelen tot in het merg van zijn botten. Eindelijk warm.

Hij liep langs de muur naar de zijingang van het Collegio, voorbij een marmeren bord met goudkleurige letters. De bekende katholieke epigrafie. Tot zover niets nieuws.

Op zijn ratelende bellen was de donkere deur van de dienstingang opengedraaid. Rector De Jonge had hem een slap handje gegeven en langs de stapels ingeklapte dozen gedirigeerd.

'Ik moet toch eens een mededeling doen dat de studenten hun oude dozen meteen opruimen,' had hij verontschuldigend gelachen. 'Dit komt niet erg representatief over. Wij Hollanders zijn vergeten wat we aan moeten met een Romeinse villa.'

Clemens had maar geknikt.

De rector vroeg naar de reis, waarom hij niet met het vliegtuig was gekomen; dat was toch veel comfortabeler? Hij beloofde hem een plek in de garage, verklapte dat hij net de kardinaal had gemist. Ze stapten door een gang met kleine vloertegeltjes, vergeeld stucwerk, een ijzeren leuning. Vergane glorie. De rector nam een koffer van Clemens over en ging hem voor in zijn nieuwe kamer. Opnieuw die vertrouwde cel: bed, bureau, kast, wasbak.

'Hier mag je tot rust komen, voordat het academisch jaar begint. Je bent er vroeg bij, trouwens. De meeste studenten genieten nog van hun staartje vakantie. Het zal niet druk zijn in huis.'

De rector liep naar een raam en duwde de blinden naar buiten. Geschubde palmbomen voor een gepleisterde muur. Witte kiezels op de paden.

'Prachtig,' zei Clemens. 'Een voorrecht om hier te mogen zijn. Dank u.'

'Bedank de bisschop maar. Die betaalt de rekening.'

Nadat hij de motor een plaats had gegeven trok Clemens zich terug op zijn studentenkamer, ging op bed liggen en viel in een onrustige slaap. Van zijn dromen wist hij bij het ontwaken een enkel beeld vast te houden, geen verhaallijnen. Een mond die hem probeerde te bijten, auto's die hem tegemoet kwamen op de snelweg en hem waarschuwden met lichtsignalen, zijn moeder die hem uitzwaaide. Zijn zus languit onder een rioolbuis, of was hij het zelf?

Het was lang niet zo erg als die keer dat hij zijn tanden had gezet in een grote Bossche bol. Spugend en kokhalzend was hij wakker geschoten, trillend van angst. Het had minuten geduurd voordat hij zich realiseerde dat het een droom was geweest.

Eigenlijk was het een goede nacht.

Die ochtend richtte Clemens zijn schreden als een normale toerist naar het plein van Bernini, de mooiste piazza ter wereld, de voorhof van de Sint-Pieter. De gulden snede bepaalde er niet alleen de lengte en dikte van de zuilen en pilasters, maar ook de oppervlakte zelf. Het gerucht ging dat je er vroeg in de morgen de *pi* zelf kon zien dansen. Normale toeristen herkenden instinctief de juistheid van de vlakverdeling aan de afmetingen van hun eigen lichaam. Zo niet Clemens, losgezongen als hij was van zijn lijf. Hij haastte zich naar de beschaduwde rand van het plein, zocht de ingang waar een lid van de Zwitserse Garde stond, liep er naar binnen. Geen toeristen hier, slechts een waardig saluut. Dus zo voelt respect, constateerde hij droog.

Meteen daarna keerde hij terug, ontving nogmaals een groet en besloot ineens om het Vaticaan heen te lopen. 0,44 hectare, hoeveel kan dat nou zijn? Wat stelde dat staatje eigenlijk voor? Hij kwam langs de Vaticaanse posterijen en sloeg rechts af, waar hij een winkel zag die hij kende van een eerdere Rome-reis. Hier werd goudgeld verdiend aan de behoeften van priesters en bisschoppen: mijters en kelken, zwarte hemden, patenen en ciboriën. Modern of stijlvol, klassiek of sober, voor de clerus lag er een goudmijn. Had Pim daar niet eens van die lange paarse sokken gekocht? Net zoals het halve seminarie.

In de luwte van de colonnade verrees het palazzo van de Congregatie van de Geloofsleer. Met ontzag sloeg Clemens de imposante façade gade met de uitstraling van een fort. DOTTRINA DELLA FEDE. Hier kwam het allemaal vandaan, realiseerde hij zich. Hier werkten de ambtenaren die de pausen in het verleden hadden bijgestaan in de correcte formulering van de katholieke leer. Hier bevond zich het machtigste orgaan van de Romeinse curie, zonder wiens instemming zelfs de hoogste pontifex geen leerstelling zou formuleren. Complotdenkers beschouwden die als een soort ministerie van Justitie, als de gijzelnemers van de vrije geest van Vaticanum II. Zij waren de conservatoren van die heilzame geloofsschat, weliswaar opgefrist met Bijbelse begrippen als 'geloofszin' en 'volk Gods', maar ten diepste niet anders dan middeleeuws. Ooit had dit curieorgaan als Inquisitie het ware geloof verdedigd tegen ketters; nu stond ze garant voor hetzelfde. Alleen de naam was anders.

Clemens keek omhoog en drukte pardoes op de knop. Er klonk een geratel in het gebouw, voetstappen. Een kleine deur in de grote ging open. Een portier stond voor hem. De vrouw glimlachte: '*Si?*'

'Sorry dat ik stoor, maar ik wilde graag iemand van de congregatie spreken als het kan.' Aarzelend klonken de Engelse woorden uit zijn mond; hij was verrast dat iemand had geantwoord en hoopte dat ze hem verstond. Hij stak een hand uit.

'*Per favore?*' Ze keek naar de hand, naar de jongen met de priesterboord. Toen nam ze hem aan.

'Ben je echt een priester?'
'Al jaren.'
'Wacht hier,' zei ze. 'Of nee, kom maar even binnen.' Samen passeerden ze een betegelde, beschaduwde binnenplaats. Het koele hart. In de portiersloge stond een bureau met een telefoon, eenvoudiger dan in het Sint-Janscentrum. 'Wat is het probleem? Zeg het maar.'
De Romeinse vrouw was geduldig en leek zelfs geraakt door het verhaal dat Clemens haar vertelde. Haar grote bruine ogen keken hem aan. Ze was niet jong meer, een beetje te zwaar. Ze sprak hem geen enkele keer tegen en stelde zakelijke vragen: 'Dus je bent nu ook ziek?', 'Is het niet lastig om de Mis te doen?', 'Ik ga iemand halen'.

Even later kwam een priester de kamer binnen, een monseigneur zelfs, te oordelen naar zijn zegelring. Zijn achternaam had Clemens niet opgevangen, maar het klonk dreigend Russisch of Pools. Gutturaal. Het kostuum van de man was zwart als het zijne, maar de schouders waren bedekt met roos. Stoffig haar. Misschien was hij van het soort dat denkt dat problemen verdwijnen als je geen actie onderneemt en elke interventie uitstelt: verstoor de rust niet, alles komt goed. Een voorteken wellicht.
'Welkom bij onze congregatie. Dus u bent een jonge priester uit Nederland? Een van de weinigen. Goed zo.' De man maakte een gebaar. 'Komt u maar even mee.'
Ze liepen over gladde tegels naar een kamer op de eerste verdieping. De Pool ging voorop, opende de deur naar een hoge kamer met houten lambrisering en groene overgordijnen vol Franse leliën. Hij wees op een rookstoel en ging zelf achter een kaal bureau zitten waar een dossiermap op lag. Hij wikkelde het touwtje van de sluiting los, haalde papieren van verschillend formaat tevoorschijn. Een knipselmap.

'Vertel eerst uw verhaal, als u wilt.'

Clemens begon, maar het klonk minder spontaan dan bij de portier. Zakelijker. Na enkele zinnen nam de Pool het gesprek over.

'Goed, luister. U bent niet de enige met dit probleem. Er zijn meer priesters met uw ziekte. Er is zelfs een bisschop geweest, uit Ierland. Die is inmiddels overleden, maar we zijn dus bekend met het probleem. U bent echt niet uniek.' Clemens slikte. 'U kunt geen glutenvrije hosties gebruiken, dat gaat niet. Verboden door kerkelijke wetgeving en traditie, Thomas van Aquino met name, vastgelegd in ons wetboek, canon 924 lid 2. Een simpele zaak. Glutenarme hosties zijn wel toegestaan. Hier heb ik een adres.' Hij reikte een gekopieerd A4'tje aan met het adres van Sint-Michielsgestel. 'Zij bakken voor coeliakiepatiënten.'

'Dit adres heb ik al. Ik kom uit Nederland.'

'O, ja.'

'Ik gebruik die hosties al maanden, maar ze helpen niet echt. Ik blijf klachten houden, al bevatten ze geen gluten.'

'Weinig gluten. Glutenvrij is verboden.'

'Maar...'

'Maakt u zich geen zorgen. Wij hebben onze artsen geraadpleegd. Zij zeggen dat een beetje geen kwaad kan. Bovendien weegt de geestelijke waarde van de eucharistie natuurlijk veel zwaarder dan wat lichamelijk ongemak. Ziekte kan een weg zijn naar de Heer. Begrijpt u dat? De weg naar het eeuwig heil loopt via het kruis.'

'Dus de Kerk wil dat ik in elke Mis brood eet waar ik ziek van word, zo ziek dat ik er uiteindelijk aan kan sterven? Ze vraagt mij om een langzame zelfmoord die wel tien jaar kan duren. Ik weet echt niet of ik dat wel kan opbrengen.'

'Luister, u moet niet overdrijven. Het gaat maar om een kleine hoeveelheid, meer niet. Daar word je niet ziek van, of anders maar een beetje. U moet het niet dramatiseren. Andere priesters kunnen hier ook mee omgaan, dus waarom u niet? Het is juist een kans voor u om gehoorzaamheid te oefenen, om een geestelijk offer te brengen dat zijn weerga niet kent.'

Clemens zweeg.

'Of u moet hulp zoeken. Als u de leer van de Kerk niet kunt verdragen, biedt goede psychoanalyse vast een uitweg. Begrijpt u? Verzet is zinloos en heilloos. Daar is niemand bij gebaat.'

De prelaat keek hem strak in de ogen en knipperde niet. Clemens wel. Hij vouwde zijn handen op de rand van de tafel en keek ernaar. Zo zat hij ook tijdens de biecht. Hij haalde diep adem. 'Ik begrijp het. Ik moet hosties gebruiken waar een beetje gluten in zitten. Uit Sint-Michielsgestel. Ik begrijp het. En ik moet zeker ook blijven bidden?'

'Juist, dat moet u zeker blijven doen. Bidden. En dagelijks het misoffer opdragen.' Nu glimlachte de man, terwijl Clemens begon te verlangen naar een toilet. Om wat te drinken en zichzelf in de ogen te kijken, niet om zijn gebruikelijke substanties te lozen. Hij had niets gegeten sinds het ontbijt, om ongehinderd door de stad te kunnen gaan. Met een ruk stond hij op en reikte de kerkelijke ambtenaar de hand. Die bleek glibberig als de huid van een vis.

'Hoe ging het? Heeft de excellentie je geholpen?' De portier was ongeveer drie keer zo betrokken als de prelaat; Clemens zag het in haar ogen.

Hij knikte kalm: 'Uitstekend. Hij heeft alles uitgelegd, het is volstrekt helder.'

Daarna mocht hij naar het toilet, zijn handen wassen in onschuld. Twee, drie keer water tegen zijn hoofd, maar zonder aanroeping van de Drie-ene. Integendeel.

Zo moet het zijn gegaan, op zijn eerste volle dag in Rome. Na zijn bezoek aan de Pool liep Clemens de warmte weer in, wandelde door de straten, kocht wat fruit om te eten, ontdekte dat elke *farmacia* glutenvrij brood verkocht, koos voor de chips van San Carlo. Hij mocht dan wel geen pasta of pizza kunnen eten, een *insalata caprese* was ook lekker. Hij kwam niets tekort.

Bij zijn terugkomst vermeed Clemens de ontmoeting en het gesprek met rector De Jonge en droeg zijn proviand in een witte plastic zak naar zijn kamer om daar de avond door te brengen. Hij schreef en dacht hardop in zijn dagboek: 'Rome is net als Amsterdam of Parijs een plaats voor toeristen, waar toevallig ook mensen wonen. De bisschop wil dat ik weer contact leg met het hart van de Romeinse Kerk, hij heeft het niet met zoveel woorden gezegd, maar het kan niet missen. Hij heeft nog hoop dat het goed komt met me, ziet nog een toekomst. Maar het voelt vooral als een ziekenhuis, dit Rome. Hier moet ik op krachten komen, terwijl de bisschop de rekening betaalt alsof hij mijn ziektekostenverzekeraar is.'

Al snel steekt zijn scepsis weer de kop op: 'Iedereen in Nederland is wel ooit in Rome geweest of is van plan er ooit naartoe te gaan, kan niet missen. Want het is hier toch zo mooi, zo romantisch. Dat zal ook best waar zijn. Ik zie ook wel dat hier mooiere gebouwen staan dan in Budel of Den Bosch. Ik begrijp ook best dat de mensen hier mooier, smaakvoller gekleed gaan dan op het platteland. Ik zie het, maar zie het ook als oppervlakte. Vertoon. Schone schijn. Het staat hier vol met de resten van regimes die soms wreed onderdrukkend en in elk geval onrechtvaardig waren. De rijkdom van het Vaticaan en de Sint-Pieter heeft ons de protestantse opstand gebracht, om maar iets te noemen. Ook dat is Rome: decadent, immoreel, rijker dan verantwoord. Luther bezocht de stad en werd er niet verliefd op. Integendeel, hij viel juist van zijn geloof in de heilige Moederkerk. Zijn ogen gingen open in Rome, door Rome, maar niet met Rome. Rome slaapt nog steeds.'

Wanneer hij eindelijk toekomt aan zijn ervaringen in de congregatie klinkt hij ronduit cynisch: 'De Pool vraagt me te kiezen tussen eten en ziek worden tot de dood, of niet eten en het geloof laten uitdrogen tot het sterft. [...] De hostie is de luchtbrug die mijn gelovige enclave ternauwernood in leven houdt, de vijand schiet de vliegtuigen keer op keer neer. [...] De hostie afwijzen is Christus afwijzen, de hostie afwijzen is de band met de levende en triomferende Kerk doorsnijden. [...] Ik voel me de facto geëxcommuniceerd. [...] Mijn enige reddingsboei in de zee van zondigheid en ongeloof was de hostie. Daar blijkt nu ineens een lek in te zitten, mijn boei zinkt als een baksteen en trekt me mee naar de diepte. [...] Ze vragen me om mezelf langzaam fysiek te kruisigen, spijker na spijker in mijn buik. [...] De hostie kan me geen kwaad doen, niet echt, dat geloof ik. Maar geloven mijn darmen het ook?'

Transsubstantiatie

Wat was ik graag fysiek bij hem geweest op die eerste dag. Maar vooral op de tweede, toen hij na zijn veel te korte en gekwelde nacht – de hitte dit keer – opnieuw als vanzelf naar de Sint-Pieter werd getrokken. Hij had zoveel meer kunnen doen, zoveel andere dingen. Had hij maar willen luisteren naar de adviezen die de rector hem had gegeven, over een bezoek aan het strand bij Ostia of de Chiesa dei Francesi, waar Caravaggio nog in de originele, kerkelijke setting te bewonderen was. Hij had zoveel meer kunnen zien, alle mogelijke vormen van afleiding kunnen vinden voor het tumult in zijn binnenste. In plaats daarvan – en dat typeerde hem ook – vind ik hem terug op het plein met de geroofde obelisk, dat fallisch en heidens symbool in het hart van het christendom. Hij keek er niet langer langs.

Dan ging zijn blik omhoog, waar hij zag hoe boven op de travertijnen zuilengangen die het plein als een accolade omarmden de heiligen naar beneden keken, witte vlekken op hun hoofden en schouders. Die oneerbiedige duiven toch. Clemens' blik gleed langs zijn vele voorbeelden, versteend in hun heiligheid. Hij meende Antonius van Padua te herkennen aan het kind tegen zijn been, de hand liefkozend op het hoofd. Toon toch, dacht hij, waar ben je mee bezig? Hij boog even het hoofd bij wijze van groet en verontschuldiging, draaide zich om, liep naar de hoofdingang en voegde zich dit keer in de lekenrij.

Schuifelend ging Clemens de enorme hal binnen, die gebouwd was naar het model van de marktplaatsen van de oudheid. Christenen als hijzelf hadden de hallen gekerstend, er een smeltkroes voor de hemelse economie van gemaakt. Priesters verkochten er het eeuwig geluk; gelovigen betaalden met hun hart en met harde sestertiën. Geen wonder dat de hostie zoveel op een muntstuk leek. Het heil was gouden handel. De eindafrekening overdonderde Clemens zoals altijd wanneer hij hier binnenkwam: caleidoscopen van zwart, wit, geel en roze marmer op vloeren en aan wanden, vette putti overal, een baldakijn van kronkelend verguld brons boven het graf van Simon de eenvoudige visser, de kale rots waarop Christus zijn Kerk wilde bouwen. De steen die hij niet had om zijn hoofd op te laten rusten.

Clemens keek omhoog tot zijn nek verkrampte en liep een rondje. Zijn blik dwarrelde van afritsbroekspijpen naar een marmeren profeet, een duif-in-lood, de vier bronzen prelaten die een gouden cathedra als een prijs omhooghielden. Ooit had Petrus volgens de legende zelf plaatsgenomen op de zetel die in het holle binnenste ervan was verborgen, maar dat was lang geleden. Toch gold het als een belangrijk argument om de uitzonderlijke positie van de bisschop van Rome te midden van de andere bisschoppen te verklaren. *Primus inter pares.* De lege stoel leek ineens net zo geloofwaardig als het lege graf. Hij schudde zijn hoofd om deze gedachte te verdrijven.

Hij keerde de leegte de rug toe en slenterde door, richtte zich op de pelgrims die hun hand over de glanzende teen van een Petrusbeeld haalden, het heuglijke feit fotografeerden. In de zijbeuk aan de linkerkant stonden biechtstoelen als op Montmartre; daarnaast was de ingang van de sacristie. Een priester schoot vanachter een zuil voor hem langs, sneed hem de weg af, liep de gang in. Als vanzelf volgde Clemens hem, versnelde zijn pas.

'Ik zit vandaag vol met goede ideeën,' mompelde hij terwijl hij knikte naar de Zwitser die in de houding sprong.

Via een sobere gang – slechts twee kleuren marmer op de vloer – kwam hij aan in een ruime sacristie. Collega's waren zich aan het omkleden, trokken witte doeken om hun lijf tot hun buik verdwenen was. Ze streken de laatste plukken haar tegen de schedel, keken met gêne om zich heen, alsof ze zich in een publiek urinoir bevonden. De kleedkamer werd gedomineerd door het levensgrote lichaam van de gekruisigde, waar ze steels een blik op wierpen. In werkelijkheid was Hij naakt geweest, wist Clemens. Elk kruisbeeld is een knieval voor het volk, een eufemisme. Hij schudde zijn hoofd. Een koster wees vriendelijk op een hoopje paramenten en vroeg naar een bewijs van priesterschap. Clemens reikte zijn document aan, een Latijnse tekst met de handtekening van zijn bisschop. Hij mocht zich omkleden.

De processie naar het hoofdaltaar was een warming-up, een voorzichtige cadans waarin Clemens' geloofsspieren op temperatuur konden komen. Zijn gewrichten kraakten al. Met elke stap concentreerde hij zich meer op de gevouwen handen voor zijn albe, realiseerde hij zich dat zijn gladde veterschoenen zich losmaakten van natuursteen, erboven zweefden, via de rubberen hak neerkwamen om hem dichter bij zijn bestemming te brengen. Als hij zenmonnik was geweest, had hij het loopmeditatie genoemd.

Opnieuw kwam hij het schip binnen, dat nu een andere indruk maakte. Het goud-en-marmer was minder glanzend, minder fel, alsof het licht een paar slagen was gedempt. Alles stond in softfocus. De schilderijen boven de zijaltaren vertelden verhalen van geloof en verlossing in plaats van ingewikkelde spierpartijen, kledingplooien en *chiaroscuro* te etaleren. Tussen de toeristen bleken vrouwen met een rozenkrans rond te lopen, mannen met kaarsen om te offeren, priesterstudenten met een brevier in zwart leer. Zelfs de protserige Korinthische pilasters van het middenschip bleken vooral uit een sober grijs vlak te bestaan: eenvoud hield dit gebouw overeind.

De processie kwam tot een einde. Het was gebruikelijk dat priesters hierna de trappen van het koor beklommen om verheven boven de gelovigen het altaar te zoenen – een christelijke kus waarin de eenheid van offerande, altaar en offeraar al tot stand kwam. Voor iedereen te zien. Deze priesters waaierden echter in een sierlijke boog uit over de gereserveerde eerste rijen in het middenschip. Dit moest wel gechoreografeerd zijn. Clemens volgde zijn voorganger met roodgeschoren nek, een jonge man nog, misschien wel jonger dan hijzelf. Verrassend. Ineens geïnteresseerd in zijn collega's schatte hij dat er wel honderd waren, een klerikaal korps. Toen iedereen een plaats had gevonden werd het stil. Het zangkoor achterin zweeg. Een gemijterde mocht het altaar wel bestijgen en kussen, strekte zijn armen uit en riep in de microfoon: '*Dominus vobiscum.*' De plechtige opening van het academisch jaar voor pauselijke universiteiten was begonnen, en Clemens had zichzelf binnengesmokkeld.

De dienst was een gewone Hoogmis volgens het missaal. Waar hij in Nederland gevechten met gelovigen had moeten aangaan over liturgische voorschriften, was hier geen enkele discussie nodig of zelfs maar denkbaar. De honderd verzamelde nationaliteiten en talen voelden zich veilig in het bekende stramien. Ook Clemens herkende de structuur en kon de grote lijn volgen. Geen twijfel over de schuldbelijdenis, het evangelie, de prefatie. Hij kon misschien niet alles antwoorden in het Italiaans, maar hij deed mee. Daarbij kwam nog dat hij voor het eerst sinds lange tijd participeerde alsof hij een gewone gelovige was. Gekleed en herkenbaar als priester, maar niet de celebrant. Hij was geen vrome ober, barman of verkoper meer; hij had geen preek voorbereid; niemand keek hem in zijn gezicht terwijl hij zich in gebed tot God keerde. Geen voyeurs. Hij was een mier met de mieren, gelovige tussen gelovigen, een van de velen. Hij voelde de zuurstof in zijn longen, lucht in zijn lijf. Ruimte, wat een ruimte hier. Hij was acht jaar oud en zou voor het eerst de communie ontvangen.

Het hoogtepunt van de dienst naderde. De bisschop had tot dan toe met overtuiging in de microfoon gesproken, opvallend krachtig en zeker van zichzelf. Bij de prefatie hadden zijn armen een dwingend gebaar gemaakt, waardoor iedereen onmiddellijk in de houding was geschoten; het missaal had hij niet ingekeken. 'Tout par coeur,' had de buurman van Clemens hem met bewondering toegefluisterd. Met zijn armen omhooggericht, niet naar de verzamelde gemeenschap, had hij de nabijheid van de Levende Heer met passie over iedereen afgeroepen. Nu volgde het moment van inkeer; pianissimo klonken de woorden die het brood zouden veranderen in het Lichaam van de Messias. Iedereen keek in diepe concentratie, zag de snelle elevatie van de hostie, een stralende komeet. De consecratie van de beker vond onder even zacht uitgesproken woorden plaats, het opheffen verliep voorzichtiger. Clemens sloeg een kruis, zoals hij zijn oma zo vaak had zien doen. Wat is het eigenlijk toch een mooi ritueel, dacht hij met zijn kin op de borst. Ik zou er haast weer in gaan geloven. Hij schrok van de gedachte. Zijn hart begon als een razende te kloppen in zijn oren en hij hoorde de bekende hoge fluittoon, maar voelde al zijn bloed ditmaal naar zijn hoofd trekken en droeg ineens zijn hart op zijn wangen. Hij sloeg zijn handen voor zijn ogen, wankelde achteruit en voelde de stoel in zijn knieholten drukken. Hij kon gaan zitten, gelukkig. Samenhangende gedachten ontbraken, maar de schaamte bleef. Het ritueel denderde voort. De mensen om hem heen stonden pal, terwijl Clemens zijn adem hervond. Hij stond op, draaide zijn handpalmen naar boven en sloot de ogen. *Orante.*

'Onze Vader, die in de hemel zijt.' Het overbekende gebed riep nieuwe associaties en emoties op; geen enkel moment dacht Clemens nog aan zijn eigen, aardse vader. Dat had hij in Parijs ook al opgemerkt, waar hij het Gebed des Heren had beleefd in een kleur van broederlijke saamhorigheid zoals bij de drie musketiers, allen voor één. Nu kreeg hij het gevoel dat hij meezong in een engelenkoor. Toen de stanza 'Geef ons heden ons dagelijks brood' aan de beurt was, ging het nauwelijks nog over voedsel. Het had niets met zijn lijf te maken. Daarna kwam de communie.

Leken vormden een lange rij. Ze wachtten tot een priester hun de koopwaar op de hand legde, of direct in de mond. Priesters mochten zelf hun penning nemen. Ook wanneer ze niet achter het altaar stonden, bleven hun handen gewijd en geschikt om het geloofsmysterie te beroeren. Plechtig als Sioux die een vredespijp doorgaven, namen de priesterstudenten aan de Gregoriana, het Antonianum en het Instituut voor Huwelijk en Gezin de schaal met brood. Men nam en gaf. De kelk passeerde. Men dronk en gaf. De Franse buurman reikte het vergulde vaatwerk aan Clemens, die niet anders kon dan gespannen neerkijken op de witte ouweltjes. Jezus' Lichaam. Eeuwig Leven. Gezond tot in eeuwigheid.

Clemens nam met trillende vingers. Hij sloot zijn ogen en plaatste de glutenbom in zijn mond. Hij wist wat hij deed. Hij slikte de hostie door. De wijn volgde als vanzelf. Zijn lege maag rommelde ervan. Daarna ging hij zitten, net als de andere priesters. Alle tijd voor stil gebed, nu hun collega's duizend leken bedienden. Clemens probeerde in gedachten een gebed uit te spreken, maar verloor zich in de sensaties van zijn binnenste. Het enkele brood vermenigvuldigde zich in zijn ingewanden tot een hoeveelheid waar zijn kleine maag geen raad mee wist. Het orgaan duwde zijn inhoud aangevuld met zurige sappen in stevige krampen van zich af. Weg ermee! De brij bereikte de twaalfvingerige darm, waar Clemens' witte bloedcellen onmiddellijk in actie kwamen. Ze ontdekten de aanwezigheid van een schadelijke substantie en besloten deze suïcidaal op te vreten, waarbij ze geen onderscheid maakten tussen darmwand en gluten. Ze beten zich vast in zijn vlees, waarbij een enkeling zowaar een brok gif wist te neutraliseren. Het grootste deel weerstond echter de eerste aanval, waarna de tweede linie antilichamen actief werd, en de derde, en de vierde, tot een ruime dertig centimeter darmlengte was veranderd in een slagveld waar geen plooi nog overeind stond. Hierop besloot de darm groot materieel in te zetten: de peristaltiek.

Het broodresidu, inmiddels verrijkt met zoutige gal en pancreassap, was vermenigvuldigd tot een oersoep die met kracht door het darmkanaal werd getransporteerd. Zijn volgende hospita, de nuchtere darm, stuurde haar gast onmiddellijk door met slechte referenties, zodat de kronkeldarm het hele proces van indikken en vocht onttrekken maar oversloeg. Voedingsstoffen konden hem gestolen worden; dit vergif moest eruit, zo snel mogelijk. Spijssap en brooddrab – alles verdween ronkend en slurpend in een draaikolk in Clemens' dikke darm. De haast waarmee zijn lichaam zich probeerde te ontlasten van deze substantie was zelden zo groot geweest.

Speelden in dit proces emotionele factoren hun venijnig katalyserende rol? Clemens had slecht nieuws te verwerken; zijn hele levenskeuze leek op een duivels dilemma uit te lopen. Hier zat geen gelukkig man. Maar emotioneel of niet, de spijsvertering was een automaton, het lichaam deed wat het moest; het spoelde Clemens' heilige massa voort zoals een cobra zijn vergiftigde prooi opvrat, met indrukwekkend natuurgeweld. Binnen twee minuten na ingestie klopte de waterzooi aan bij Clemens' binnenste sfincter, een kringspier waarvan hij zich in de loop der jaren maar al te zeer bewust was geraakt. Hij wist dat deze het onverwacht kon begeven, waarna zijn anaal kanaal zich zou vullen. Slechts een snelle run naar het toilet – maar niet te snel – zou het ergste kunnen voorkomen. Coherente gedachten waren vanaf dit moment uitgesloten.

Drie minuten eerder had Clemens de Sint-Pieter nog ervaren als een oase van vroomheid, waar gedisciplineerde gelovigen gebroederlijk en gezusterlijk schouder aan schouder zaten, terwijl een traag meanderende sliert mensen zich naar een beperkt aantal verdeelpunten begaf, zonder een spoor van spanning of onrust. Vroomheid zoals die bedoeld was. Nu voelde Clemens hoe zijn binnendijk het begaf. Hij had nog maar weinig tijd. Tegen zijn zin maakte hij aanstalten om in beweging te komen, *propter necessitatem naturae*. Het zal toch niet waar zijn, verdomme. Met een ruk stond hij overeind.

Om hem heen hadden de priesters hun introverte houding aangenomen: stabiele driehoeken – ellebogen op de knie, handen tegen de ogen in hun hoofd, de rug recht —, die hij stuk voor stuk moest verstoren om voorbij te kunnen schuiven. Geïrriteerd keken zijn collega's op uit hun hoogstpersoonlijke trance, fronsten, schoven traag hun beide benen opzij terwijl de patiënt voorbijschuifelde. Eindeloos duurde zijn uittocht uit de gelederen. Goed dat niemand enig idee heeft van mijn ziel, schoot het door zijn hoofd, terwijl hij beurtelings '*Mi scusi*' zei en '*Excuse me*'.

Aan de rand van de priesterfalanx gekomen, realiseerde Clemens zich het volgende probleem: het toilet. Waar kon hij in het grootste en heiligste godshuis van de Latijnse Kerk een directe aansluiting op de grootstedelijke cloaca vinden? Had iemand hier ooit aan poepen gedacht? Hij begon te lopen in de richting van de sacristie. Daar lagen zijn beste kansen, wist hij. Snelle passen onder zijn hagelwitte albe. Nog steeds zag deze er vers gesteven en onbevlekt uit – een bruid rende naar haar bruidegom voor de langverwachte consummatie.

Voor de ingang van de sacristie stond een Zwitserse Gardist wijdbeens en veelkleurig. Hij was niet veel ouder dan twintig jaar, een goede leeftijd om desnoods te sterven voor de verdediging van de paus en zijn kardinalen. Hij was ertoe bereid, de eed echode vast nog in zijn oren, inclusief gehoorzaamheid aan de bevelen van zijn commandant. Nu was het zijn missie om toeristen uit de gang te weren: hier zou geen mens welkom zijn, totdat de eucharistie voorbij was. De orders waren duidelijk. Veiligheid bestond uit het weren van onbevoegden.

'*Please, let me enter.*' Clemens' grimas sprak boekdelen, dacht hij. De soldaat antwoordde niet, maar keek strak voor zich uit, de handen op de rug.

'Sorry, maar ik moet echt naar de wc. Is er een toilet in de sacristie?' Het snelle Engels klonk de Zwitser niet vriendelijk in de oren. Hij zag slechts een man, hij kende zijn orders.

'*No, please, wait until mass finish.*' Hij schudde zijn hoofd erbij. Clemens' binnenzee sijpelde door zijn laatste barrière – een stroompje nog maar, langs zijn lies. De bekkenspier hield hij nu voortdurend aangespannen, wat hij tamelijk lang kon volhouden.

'*Please?*' Hij keek onrustig om zich heen en schudde zijn bovenlichaam naar voren en naar achteren alsof een geest hem had gegrepen. De Zwitser schudde een laatste maal van nee.

Clemens draaide zich om en begon zijn laatste run op de pot. Hij wist dat er publieke toiletten waren tegenover de pauselijke vertrekken, bij de Vaticaanse uitgeverij. Dat was zijn nieuwe doel. Het helpt om doelen te stellen, wist hij, specifieke en meetbare doelen. Hij dwong zijn lichaam in de richting van de bronzen toegangspoort. Maximaal honderd meter, dan nog de rij. Had hij wel kleingeld? Hij zwalkte, voelde zweet op zijn voorhoofd prikken, gehamer van het duistere getij in zijn binnenste. Golf na golf sloeg tegen zijn kringspier; een springvloed naderde. Een paar passen liep hij nog, haperend kwam zijn weerstand ter hoogte van de *Piëta* aan een eind. Wat is die kerk groot. Veel te groot.

Hij draaide zijn hoofd en keek gedesoriënteerd om zich heen, tot zijn blik naar het gladde witte marmer werd getrokken, achter de acrylate glasplaat. Maria zat met haar overleden zoon achter een raam dat een gorilla buiten kon houden. Voor haar eigen veiligheid, nadat een verwarde man haar eens met een hamer had bewerkt. De neus afgeslagen. Ze was een beveiligde, gerestaureerde Maagd geworden, achter glas. Heel mooi. Nog een paar passen en Clemens liet zich met beide handen vallen, zijn neus en voorhoofd vooruit, de ogen strak gericht op de lijdende Moeder en haar dode Zoon. Zonder nog een gedachte liet hij het lopen.

Toen verloor hij het bewustzijn.

Wat was er gebeurd? Geen mens weet het precies, vrees ik. Zo nam hij deel aan het hoogtepunt en de bron van kerkelijk leven; zo ontwaakte hij als een nieuwe man, herschapen onder het oog van Maria – geen spoor meer van zijn hemelse roeping. De priester was veranderd in een mens van vlees en bloed, de gelovige in een man die zijn eigen weg bepaalde. Zijn verleden had geen macht meer over zijn toekomst, dat wist hij zonder er zelfs maar een besluit over te nemen. Het was gewoon zo. Clemens had zijn ontdoping beleefd in zijn eigen vuile water. Kopje-onder, gestorven voor het oog van de wereld, zijn laatste priesterlijke adem uitgeblazen. Bijgekomen met nieuwe inspiratie, met een nieuwe geest. De nieuwe mens.

Hij schaamde zich niet voor wat er was gebeurd, voor de stank om hem heen, en glimlachte naar een verpleger die boven hem zijn evenwicht probeerde te bewaren terwijl de minivan door de straten van Rome vloog.

'Ik ben in orde,' sprak hij in het Nederlands. Scherp voegde hij er meteen een vertaling aan toe. Ik ben in orde, dacht hij. Helemaal goed. Het kon niet beter.

Via de Lungotevere werd hij naar het Isola Tiberina gebracht, het Fatebenefratelli. Had de rector niet gezegd dat dit het ziekenhuis was waar de zoon van Nanni Moretti was geboren? Het is een teken, een goed teken. Gelaten onderging Clemens de controles van de artsen, en hij was niet verrast toen ze hem vertelden dat het wel meeviel. Hij gaf aan dat hij niemand had om hem op te halen, en ze lieten hem gaan. Iemand deed zijn vuile priesterkleding in een plastic zak en reikte hem een tweedehands broek aan. Clemens kreeg de indruk dat ze overal op voorbereid waren.

Ontspannen wandelde hij naar het Circo Massimo dat op de terugweg lag. Niets aan de hand. De dag was nog jong. Aan de rand van de kuil van het circus vond hij een plaats om te rusten. Hij keek uit over het terrein waar ooit wagenrennen gehouden waren, maar waar nu hardlopers hun ronden draaiden, in de felle kleuren van sportiviteit. Hij zag haastige toeristen voorbijkomen achter een oranje vlaggetje aan, studenten een boek lezen tegen de achtergrond van de Palatijnse ruïnes, luisterde naar een straatmuzikant.

Toen hij omhoogkeek naar de lucht, zag hij er een azuren tint die hij niet eerder had opgemerkt. Hij wist dat de zonnestralen in Rome maar kort door de atmosfeer reisden; hoe dichter bij de evenaar, des te mooier de hemel. Hier hing geen Hollandse mist over de stad. Hij had letterlijk het gevoel dat de lucht kraakhelder was geworden, alsof een storm alle wolken had weggeblazen. Op een muurtje van travertijn las hij: NO MORE SMOG, en verderop: IO AMO LUCIA. Ik zie hem daar zitten, in alle rust, eindelijk zonder strijd en zonder angst. Hij had zich eindelijk ontlast.

Was het daar maar geëindigd, met die jonge Clemens, wedergeboren in zijn zelfgebrouwen vruchtwater, zijn eigen moeder en kind tegelijk. Had hij daar, zittend aan de rand van het Circo Massimo maar een vriend ontmoet om mee te praten of mee te drinken. Of een vriendin om verliefd op te worden, een Romeinse vrouw als het even kon, om Italiaans mee te leren: een nieuwe start in een nieuwe taal en cultuur. Woorden zonder ballast. In plaats daarvan moet ik nu vertellen dat hij opstond en in zijn eentje wegliep van het menselijk gewemel.

Net als een dag eerder ging hij inkopen doen bij een van die kleine familiewinkeltjes in de binnenstad, waar ze alles verkochten van zeep tot kurkentrekkers. Hij koos een mooie fles wijn uit, DOCG, een grote zak San Carlo, wat tomaten. Daarna kocht hij met zijn laatste lires bij een andere winkel in de Viale Aventino een dictafoon, batterijen en minicassettes. Hij zocht zijn eigen kamer op, die van de binnenkant op slot ging.

De derde avond en nacht van Clemens begon positief, daar ben ik zeker van. Hij heeft vast geglimlacht tegen zijn spiegelbeeld boven de wasbak toen hij zag dat het witte boordje al verloren was gegaan. Hij heeft nog een tweede knoopje losgemaakt. Hij heeft de fles wijn geopend, ervan gedronken uit zijn tandenpoetsglas, van de chips gegeten. De tomaat at hij als een appel. Pratend in de dictafoon is hij op zijn bed gaan liggen. Hij zocht antwoorden: 'Hoe heeft het zover kunnen komen met mij? Ik had de beste bedoelingen. De wereld wilde ik verbeteren en mezelf erbij. Een romantisch idealisme motiveerde me, een vrolijke boodschap wilde ik brengen. Meer niet. Een beetje geluk op aarde, het perspectief van een betere toekomst voor iedereen van goede wil. Waar is het misgegaan? Is het wel misgegaan? Het is gelopen zoals het loopt, meer is er niet over te zeggen. Ik ben er niet bitter over, niet bezwaard. Het zit zo: ik heb een weg gekozen en die tot het eind van mijn natuurlijke krachten gelopen. Dat is de grote winst van vandaag. Ik ben aan het einde gekomen van mijn natuurlijke krachten, vond de bodem van de put, de blinde muur van mijn doodlopende weg. Dit priesterschap was een doodlopende weg. Dat is de les die ik moest leren.'

En: 'In het seminarie studeerde ik op de *Heilige overgave* als een manier om mijn leven zinvol vorm te geven. Ik probeerde niet om de verantwoordelijkheid van me af te schuiven; het was geen keuze uit zwakte, angst of jeugdig egoïsme. Ik wilde maar één ding: een punt in mijn leven vinden dat van absolute, onmiskenbare en eeuwige betekenis blijft. Een anker in de oceaan van vergankelijkheid. Of in vrome taal: ik zocht het punt waarop God een mens bij de hand neemt en zijn leven verlicht. Ik zocht genade. Ik zocht verlichting. Ik was bereid om er alles voor op te geven. En toen ik alles had verloren, zelfs mijn bewustzijn, toen kwam het besef: tot hier en niet verder. Hier ligt mijn absolute grens. Dit nooit meer. Punt.'

Hij begon aan de tapes met jeugdherinneringen, spreekt deze snel vol alsof hem iets op de hielen zit. Hij beschreef wat hij inmiddels had verzameld, zijn hele 'lieve verleden'. Uren later keerde hij weer terug naar theologische vraagstukken:

240

'Het grootste probleem van het christendom? Ik weet het niet precies. De verheerlijking van zelfvernietiging misschien, het kruis als de enige weg naar het heil. Of zijn seksisme, waardoor alleen maar koude, onverschillige, berekenende mannen de macht mogen uitoefenen. Moeders staan buitenspel. Of dat ze alle problemen veranderen in een morele kwestie: wat zou Jezus doen? Zwart-wit. Of dat het geen boodschap heeft aan het vraagstuk van de theodicee: de theologie negeert gewoon het kwaad in de wereld. Ik zit ineens vol met vragen en kritiek, arrogant en irritant vol met vragen, ik voel het. Ik krijg ze maar niet teruggestopt in de verpakking. Ik raak ze maar niet kwijt.'

Een pijnlijke worsteling. Ik hoorde hem dingen zeggen als: 'Als ik het heel eerlijk probeer te verwoorden, dan heb ik het gevoel dat de Kerk me telkens weer slaat, steeds opnieuw. Die hostie is maar de druppel. Ik was allang beurs voordat ik ziek werd.'

Of: 'De enige metafoor die ik van toepassing vind, is die van de zeepbel. Ook dat is een fascinerend fenomeen, een vloeibare regenboog in het juiste licht. Tot je er een fysieke vinger in prikt. Het minste stukje realiteit is genoeg.'

En ten slotte: 'Ik geloof het niet meer. Of nee, ik geloof het nog nét. Of is dat geen geloof meer, maar een reflex, de herinnering aan een gewoonte? Wat moet ik toch met mijn leven als ik over een tijdje echt niet meer geloof? Als tien jaar gewoon te lang blijkt te zijn?'

Dan zie ik hoe hij tegen de ochtend van zijn doorwaakte nacht nogmaals plaatsnam aan het massieve bureau, met zijn handen streelde over het decennia oude patina van het met leer beklede tafelblad. Hij opende een van de laden, stroef schoof er hout over hout, nam er een los vel papier uit en de Schaeffer die hij cadeau had gekregen van het kerkbestuur. Hij draaide eraan zodat de punt tevoorschijn kwam, streelde de vergulde clip en de inscriptie, begon te schrijven: '*Mémorial*.'

Alles wat hij zou nalaten, schreef hij op in dit moment van diep inzicht en rijke emotie. De hele inspiratie van mijn voormalige leerling, een meester geworden. De waarheid die hij had ontdekt. Het offer waarmee hij zijn ziel wist te redden, op het allerlaatste moment, daar ben ik zeker van. Hij fluistert in mijn oor: 'Onthoud dit. Onthoud wie ik was. Houd mij vast. Vergeet me niet.'

Toen hij klaar was, liep hij de trappen af naar de dienstingang, koos er een schone verhuisdoos uit, die hij meenam naar zijn kamer en vulde met alles wat ik in de laatste weken heb doorgenomen. Bovenop ging het dagboek, daarop zijn afscheidsbrief. Hij adresseerde de doos, plakte hem dicht en plaatste hem bij het postvak waar iedereen in huis zijn post achterliet. Er zou in voorzien worden, in de woorden van de rector. Hij liep zonder nog met iemand te spreken naar beneden, opende de garagedeur en startte de motor. Helm en motorpak liet hij achteloos op de grond zakken. Traag reed hij de weg op, laveerde tussen de geparkeerde auto's door, maakte een rondje om het plein, keerde terug en sloot de poort. Altijd keurig.

Hij stapte weer op en draaide nu bruusk het gas open, liet het bulderen. Donderend knalde hij de Aventijn af en stortte zich in het Romeinse verkeer, begon aan een elegante dans met het wegdek, de auto's, de verkeerslichten. Zonder aarzelen gaf hij steeds weer vol gas. De motor gromde, brulde en floot tegelijk. De wind benam hem de adem, maar nooit lang. Hij passeerde tientallen *motorini*, haalde oranje autobussen in, reed zo hard mogelijk om het Colosseum heen. Daarna volgden de Fori Imperiali, de Corso Vittorio Emanuele II, maar in plaats van af te slaan om naar de Sint-Pieter te rijden, koos hij voor de Lungotevere en reed in de richting van het noorden. De brede Corso di Francia gaf hem een kleine adempauze; daarna kreeg hij haast. Hij zocht de rivier weer op, passeerde het Paleis van Justitie en de Engelenburcht, koos toch voor de Via della Conciliazione. Een laatste keer zag hij de Sint-Pieter en constateerde dat hij zich niet had vergist. Het bouwwerk was nog steeds betaald met de opbrengst van de aflatenhandel en kitscherig schoongeschraapt voor het jubileumjaar. Wat een weelde aan koude, dode stenen, moet hij hebben gedacht. Niet te geloven. Rustig reed hij voorbij de steile trap naar de Kerk der Friezen, accelereerde daarna. In luttele seconden reed hij honderd, honderdtwintig en meer, suisde met Duitse snelheden langs de onzichtbare rivier aan zijn linkerhand en de palazzi aan zijn rechter. Een muur van platanen, daarachter de contouren van het Fatebenefratelli. De weg was bochtig, het licht van de vroege avond was betoverend, en Clemens reed door de stad als een bevrijd mens. Voor een buiging naar rechts moest hij inhouden, stelde dat zo lang mogelijk uit. Er waren geen tegenliggers en het asfalt was smetteloos; de Lungotevere degli Anguillara was een droom. Als vanzelf zocht hij de ideale lijn, toucheerde de apex terwijl hij moeiteloos de centrifugale krachten opving, accelereerde nogmaals. Een verhoogde middenberm verrees uit het wegdek, een verkeerslicht op rood, pijlen op de weg: linksaf-rechtdoor. Clemens dwong zijn machine in de bocht, wachtte tot het laatste moment, het gas vol open. Schakelde met een felle trap terug naar zijn drie.

Klak.

Het achterwiel blokkeerde, bokte en stuiterde onhoudbaar. Spasmen schokten door het frame. Het stuur klapte naar links en rechts. Hij probeerde het niet eens meer vast te houden, vloog al door de lucht, gelanceerd door de wilde paarden onder zijn zadel. Zijn vloeiende, magische bocht veranderde in een enkele, kaarsrechte lijn. De motor schuurde over het asfalt, werkte zich met geweld tegen en over de hoge stoeprand, schampte de voet van een boom en kwam tollend tot stilstand op de Ponte Cestio. Clemens volgde hetzelfde traject, maar ongehinderd door obstakels of wrijving. Een moment lang was hij gewichtloos, zweefde vrij en onbelast. Hij hield zijn ogen open om geen fractie van zijn vlucht te missen.

Mémorial

15 augustus 1999, de vroege ochtend: vuur, licht, kracht!
Diepe emotie brengt de waarheid die ik eindelijk heb ervaren: ik ben
geland in mijn eigen lichaam! Met een schok die mijn bewustzijn
niet kon verdragen heeft God me uit mijn koude hoofd getrokken en
in mijn warme lijf gedonderd. De klap heeft mijn hele leven door-
drongen en omgevormd, al mijn vragen beantwoord, puzzels gelegd en
kaartenhuizen laten instorten. ALLES IS ANDERS!

Het zware voorhangsel van intellectuele dogma's is gescheurd en
eindelijk zie ik de wereld zoals die is. Ik merk het aan de kracht in
mijn hart. Voor het eerst in jaren en jaren voel ik geen angst meer,
geen wrijving, geen lijden. Mijn wielen draaien zonder weerstand.
DE REM IS ERAF!

Wat heb ik toch krampachtig geprobeerd om de wereld beter te ma-
ken door haar kerkelijker te maken, wat heb ik me vergist, wat was
ik arrogant. De Roomse Kerk was mijn luchtkasteel; haar laffe pries-
terschap mijn illusie. Te veel hersenspinsels, te veel lege woorden en
zwakke gebaren. Nu deze droom voorbij is, besef ik eindelijk waar ik
al die jaren gefaald heb: mijn lijf bleef buiten schot. TOT NU TOE!

Als ik de moed weet te verzamelen, zal ik ook de laatste sprong wa-
gen en mezelf volledig wegschenken. Nu ik nog sterk genoeg ben. La-
ten de artsen mijn gebroken lichaam oogsten en dorsten en kneden en

bakken en uitdelen aan de behoeftigen, de zieken, de gewonden. Mijn hart voor een lekkend hart, mijn oog voor een blind oog, mijn huid voor een verbrand gezicht. Red hun levens. Kijk niet naar geslacht, ras, rijkdom of religie, maar naar de nood die je ziet en die je raakt. Laat mij zo eindelijk opgaan in die ene Blijde Boodschap.

Bloedgroep A Positief.

Slotwoord

Tot zover. Het is al meer dan voldoende, lijkt me zo. Pater Beckers heeft zijn punt gemaakt. Als de abt van Sint-Benedictusberg neem ik het hier over en zal ik dit werk van enig relevant en relativerend commentaar voorzien. Naar mijn overtuiging heeft de schrijver zijn best gedaan om inzicht te verstrekken in de persoonlijkheid van een van zijn jongens, naar eigen zeggen gedreven door een liefde voor de waarheid en een pastorale zorg die over de grenzen van het leven reiken. In verrassend korte tijd voltooide hij zijn manuscript en gaf het vervolgens aan mij om te lezen en te beoordelen. In samenspraak met de raad van monniken heb ik hierop besloten om het geheel aan de bibliothecaris van het klooster toe te vertrouwen, met de opdracht om het manuscript in te binden en het volgens de gebruikelijke procedure een plaats te geven in de afdeling Eigen Werk, categorie Fictie. Hij is de enige niet die de verleiding van de pen niet kon weerstaan.

We zullen het manuscript ondanks het verzoek van de pater dus niet toesturen aan de huidige bisschop van 's-Hertogenbosch. Naar onze mening heeft het geen zin om een drukbezette kerkleider te belasten met een donkere episode uit het bewind van zijn voorganger. De gemeenschap geeft er de voorkeur aan om de doden hun rust te gunnen en ergernis te voorkomen. Een tweede reden om af te zien van vervolgstappen is onze bezorgdheid over de gemoedsrust van de auteur: soms moeten broeders tegen zichzelf in bescherming worden genomen.

Dat de vernietiging van dit verslag evenmin onze keuze is, moge evident zijn: de tijd van boekverbrandingen en censuur ligt ver achter ons. Ook dit werk mag er zijn, nu het eenmaal het levenslicht heeft gezien. Daarbij verwijs ik graag naar het bekende adagium van Hugo van Sint-Victor: *Disce omnia, videbis postea nihil esse superfluum.* Er kan en mag geleerd worden van alles wat op papier staat; overal zijn kruimels van waarheid te vinden voor wie studeert met een warm hart en een open geest. Niettemin zijn enkele kanttekeningen op hun plaats.

Voorop moge staan dat de auteur een getroebleerd man is, door het leven getekend. Over zijn functioneren vóór het klooster zal ik hier zwijgen. Na zijn komst kwam een aanpassingsproblematiek aan het licht, in die mate dat hij professionele bijstand nodig bleek te hebben. De medische term was 'zware depressie met suïcidale ideatie', als ik me niet vergis. Het nieuws van het overlijden van Clemens Driessen heeft dit ziektebeeld nog versterkt, tot het gelukkig met medicatie gestabiliseerd kon worden. Nog dagelijks slikt de pater zijn Citalopram; behandeling door een therapeut heeft hij afgewezen.

Tegen deze achtergrond komen de overdrijvingen waarmee de pater zijn verhaal dramatiseert aan het licht. Zo opent hij deze geschiedenis met de overdracht van een pakketje van Clemens Driessen, priester van bisdom Den Bosch. Welnu, deze handeling heeft nooit plaatsgevonden. Bij mijn weten is er na Clemens' overlijden geen enkel persoonlijk object bij ons bezorgd, geen foto, dagboek of minitape, nog geen kaartje. In dit klooster bevinden zich geen primaire bronnen. Ik kan het verhaal op geen enkele manier verifiëren. Wat dit impliceert voor zijn algemene betrouwbaarheid laat zich raden.

Ook het centrale dilemma van dit werk, gezondheid of geloof, roept inhoudelijke vragen op. Er bestaan uitstekende glutenvrije hosties, die al jarenlang worden gebruikt door coeliakiepatiënten van over de hele wereld. Hieronder bevinden zich ook priesters en zelfs bisschoppen. Ondanks de beperkte hoeveelheid gluten die ze bevatten, blijken de hosties dus rimpelloos in een gelovig en glutenvrij leven te passen. Ze zijn hoogstens een kleine zonde tegen het dieet.

Het grootste probleem blijft echter het afsluitende beeld van een jonge priester die weloverwogen zelfmoord pleegt, als offer voor een lijdende mensheid. Hoe christelijk dit leidmotief ook mag lijken, laten we niet vergeten dat het in deze context gaat om een choquerende omkering van onze heiligste waarden, om de rechtvaardiging van een daad van heilloze zelfvernietiging. Intrinsiek kwaad. Dat de schrijver de morele verantwoordelijkheid voor dit drama impliciet bij de leiding van de Kerk plaatst, hemzelf niet uitgesloten, heeft alles van een gotspe. Wie had vermoed dat de jongen zo instabiel bleek te zijn? Wie had dit kunnen voorzien? Het brengt me op de enige waarheid in dit manuscript: het is inderdaad misgegaan. Er is in Rome een jonge priester gestorven. Dit had niet mogen gebeuren; het had niet hoeven gebeuren.

Voor een betrokken katholiek is dit geen gemakkelijk te verteren notie. Hij kan het hele boek beschouwen als een aanval op de moederkerk, de auteur als een immorele klokkenluider. Maar bedenk ook dit: deze pater was de schaamte en de angst voorbij; zijn geweten liet hem geen rust, een mysterieuze aandrang dreef hem voort. De schriftelijke weerslag van zijn gewetensonderzoek heeft hij aan het oordeel van de gemeenschap onderworpen, waarmee hij de facto aangeeft deze te willen dienen. Liever beschouw ik de auteur dus als een gewonde genezer, die een oude, stinkende wond heeft willen behandelen: de wonde in zijn eigen hart. Dit werk is een openhartoperatie.

Voor de enkeling die de moeite neemt om het tot aan de laatste bladzijde uit te lezen opent de pater bovendien een venster naar de chaotische wereld buiten onze muren, waar bekoring en wilskracht, overgave en teleurstelling om voorrang strijden. Laat hij er voor alles van meenemen dat ons aanhoudend gebed voor die wereld, en voor haar verloren zonen, harder nodig is dan ooit.

En het regende brood werd in het najaar van 2012, in opdracht van Uitgeverij Thomas Rap te Amsterdam, gedrukt bij Bariet te Steenwijk. Het omslag werd ontworpen door b'IJ Barbara, de typografie van het binnenwerk werd verzorgd door Aard Bakker, Amsterdam. Het auteursportret is gemaakt door Keke Keukelaar. Het omslagbeeld is afkomstig van Richard Nixon/ Arcangel Images/Hollandse Hoogte.

Eerste druk september 2012
Tweede druk oktober 2012
Derde druk oktober 2012

ISBN 978 90 600 5976 0
NUR 301

www.thomasrap.nl